PAULO MILTON

MERGULHANDO DE MOCHILA

Copyright© 2021 by Literare Books International
Todos os direitos desta edição são reservados à Literare Books International.

Presidente:
Mauricio Sita

Vice-presidente:
Alessandra Ksenhuck

Capa:
Victor Prado

Imagens da capa:
Linha de topografia do mapa: iStock - autor: Максим Ивасюк
Onda japonesa: iStock - autor: Pannawish Jarusilawong

Diagramação e projeto gráfico:
Gabriel Uchima

Preparação:
Ivani Rezende

Diretora de projetos:
Gleide Santos

Diretora executiva:
Julyana Rosa

Relacionamento com o cliente:
Claudia Pires

Impressão:
Impressul

Dados Internacionais de Catalogação na Publicação (CIP)
(eDOC BRASIL, Belo Horizonte/MG)

M662m Milton, Paulo.
    Mergulhando de mochila / Paulo Milton. – São Paulo, SP: Literare Books International, 2021.
    14 x 21 cm

    ISBN 978-65-5922-005-2

    1. Literatura de não-ficção. 2. Realização pessoal. 3. Sucesso. I. Título.

    CDD 158.1

Elaborado por Maurício Amormino Júnior – CRB6/2422

Literare Books International
Rua Antônio Augusto Covello, 472 – Vila Mariana – São Paulo, SP.
CEP 01550-060
Fone: +55 (0**11) 2659-0968
site: www.literarebooks.com.br
e-mail: literare@literarebooks.com.br

PAULO MILTON

MERGULHANDO DE MOCHILA

Viajar é relacionar-se com o mundo, com o novo, com o diferente, com o inesperado, com a vida.

Dedico este livro a Deus,
a minha família, aos amigos
e a você que decidiu embarcar
comigo nesta viagem.

PREFÁCIO

O autor enviou um *e-mail* convidando para prefaciar o seu livro, mas eu não o conhecia pessoalmente. Quando eu comecei a ler a obra, logo percebi algumas semelhanças com a minha própria experiência. Assim como o Paulo, eu larguei a minha vida profissional para conhecer o mundo ao lado da minha família, a bordo de um veleiro.

Eu não sabia o que era o esporte da vela. Para aprender a navegar, eu precisei dar diversos primeiros passos.

No fundo, eu queria me aventurar e conhecer novos lugares. Uma força me movia para soltar as amarras que a sociedade insiste em nos prender. Eu já não via mais sentido em só trabalhar para juntar dinheiro e aumentar o patrimônio. Nesse frenesi, esquecemos que o mais importante é concretizar os nossos sonhos.

Paulo começou como escriturário do banco HSBC e foi galgando sucesso até se tornar executivo. Mas sua história é repleta de momentos difíceis. Com 10 anos de idade perdeu sua mãe, que contraiu um câncer fulminante. Logo em seguida, sua avó que tanto amava e algum tempo depois, também o seu pai.

Estressado com o trabalho, teve crise de pânico, enquanto sua pressão arterial só aumentava. Paulo queria viajar, conhecer países, seus costumes e suas culturas.

Começou a fazer suas economias e juntar recursos para viajar. A primeira grande experiência foi visitar a Nova Zelândia, uma escola que deu sentido à sua existência.

E no auge da sua carreira, abandonou o emprego estável que era, na época, cobiçado por todos os jovens. Quando tomou a decisão de pedir as contas do banco, sua família e seus amigos achavam que ele tinha enlouquecido ao largar tudo que conquistou para ir viajar.

Mas Paulo foi corajoso, arregaçou as mangas e sem titubear deu uma guinada espetacular na sua vida. Ele foi atrás do seu *feeling*.

Decidiu sair do país e morar em Londres para estudar e se tornar fluente em inglês. No contrato de intercâmbio, o plano era ficar um mês na casa de um jovem casal e depois ir buscar outro lugar para morar. Sua empatia foi tão forte que ele foi convidado para permanecer o tempo que quisesse e se tornou parte da família.

Apaixonado por futebol, descreve com emoção os momentos de alegria ao assistir jogos no Brasil e em várias partes do mundo, especialmente como torcedor da Seleção Brasileira. Vale a pena checar o registro de um acontecimento inesquecível no Uruguai quando foi assistir nossa seleção jogar.

O leitor vai se deliciar. Paulo entrega uma obra cativante e envolvente e nos leva a bordo das suas viagens por inúmeros países.

Boa leitura.

Vilfredo Schurmann

SUMÁRIO

CAPÍTULO 1
PREPARE-SE:
SUA VIAGEM COMEÇA AGORA..................11

CAPÍTULO 2
UM SONHO QUE COMEÇOU PELO BRASIL..................15

CAPÍTULO 3
A SUPERAÇÃO DE DESAFIOS
NO PAÍS MAIS LINDO DO MUNDO..................21

CAPÍTULO 4
LONDRES, A MELHOR
EXPERIÊNCIA DA MINHA VIDA!..................31

CAPÍTULO 5
EGITO, SUA HISTÓRIA
E SEUS TESOUROS..................41

CAPÍTULO 6
PERRENGUES EM VIAGENS,
PERRENGUES NA VIDA!..................51

CAPÍTULO 7
NO URUGUAI, COM A SELEÇÃO. NO FIM DO MUNDO, COM MEU IRMÃO! 63

CAPÍTULO 8
UMA VIAGEM PRA LÁ DE MARRAQUEXE! 74

CAPÍTULO 9
A ENERGIA QUE CADA LUGAR PROPORCIONA 83

CAPÍTULO 10
O MUNDO MÁGICO DA DISNEY COM MEU AFILHADO ADOLESCENTE 94

CAPÍTULO 11
EXPLORANDO A TERRA DOS ANTEPASSADOS DURANTE UM ANO SABÁTICO 104

CAPÍTULO 12
AS AVENTURAS EM UM PAÍS MÍSTICO DURANTE A COPA AMÉRICA 112

CAPÍTULO 13
A REALIDADE CUBANA VISTA PELOS MEUS PRÓPRIOS OLHOS 121

CAPÍTULO 14
O PARAÍSO BRASILEIRO CHAMADO FERNANDO DE NORONHA 128

CAPÍTULO 15
VIAJAR SOZINHO, UM INVESTIMENTO DESAFIADOR! 137

CAPÍTULO 16
A VIDA POR AÍ PODE SER BEM MELHOR! 142

PREPARE-SE:
SUA VIAGEM COMEÇA AGORA

— Está tudo bem? – abri os olhos assim que ouvi a pergunta. Estava ainda meio tonto.

Mesmo com os óculos de proteção, estava difícil enxergar. O céu parecia mais claro.

Acenei que sim com a cabeça, e continuei deitado.

— Ok, cuide-se! – recomendou o rapaz parado ao meu lado, já se preparando para continuar seu percurso.

Respirei fundo, sentindo o ar gelado entrar pelos meus pulmões. O cansaço, a adrenalina da queda e o ar rarefeito da altitude me deixaram um pouco ofegante. A lembrança me remetia ao momento do desequilíbrio, provocado por uma tentativa de manobra, após estar em boa velocidade. "Também o que eu queria. Mal sabia esquiar e já me sentia um veterano no esporte".

Apoiando-me pelos braços, encolhi devagar as pernas, sentei. Levantei a cabeça e olhei mais uma vez o céu. O azul contrastou com o branco da neve. Meus olhos arderam mais uma vez. Mexi os pés algumas vezes para estimular a circulação. Abri e fechei os braços para ver se estava bem. Aparentemente, não havia quebrado nada.

Passei a mão pelo rosto para ver se havia sangue ou algum corte. Nada. "Foi só a queda mesmo", pensei. Estiquei as pernas e olhei ao meu redor. Meus pensamentos estavam longe. Um mundo ao qual não estava acostumado. As montanhas geladas desenhavam uma perspectiva diferente. Nunca tinha presenciado uma cena como a que via.

Toda aquela imensidão branca me trouxe alívio naquele momento. Era o meu primeiro contato com a neve, e estava envolvido por ela. Como uma criança, peguei um punhado de gelo e levei à boca. De gosto um pouco estranho, a neve desceu suave pela garganta.

Como se fosse um analgésico, o punhado de neve tratou as dores de um tombo, provocado pela imperícia de alguém que, pela primeira vez, se arriscava a descer uma montanha, usando uma prancha de snowboard nos pés. "Tinha sido imprudente em arriscar tanto. Mas valeu a pena, e como tinha valido!".

De tantas aventuras que eu vivi, escolhi começar o livro por algo que realmente desconhecia: o *snowboarding*. Você percebeu que o tombo era inevitável para um iniciante, mas isso nunca me intimidou. Pelo contrário, os desafios mexem comigo.

O Chile foi o país escolhido, o responsável pela abertura das fronteiras internacionais. Sem imaginar, essa viagem marcaria o início de uma longa jornada. Ao todo foram mais de 130 cidades em 40 países, mundo afora.

Mas essa forma de aproveitar a vida, viajando pelo mundo, em busca do desconhecido, do novo, começou apenas a partir dos 22 anos de idade. Até lá tudo era só sonho. Falo isso, pois quando adolescente sonhava, mas a realidade me mantinha distante das realizações.

Quatro eram os sonhos: conseguir um bom emprego, comprar um carro, viajar e quem sabe um dia fazer um intercâmbio, morar e estudar em outro país. Hoje olho para trás com saudosismo é verdade, mas com a impressão de que fiz a coisa certa, que escolhi o melhor caminho. A realização de tudo isso só seria possível pelo estudo, trabalho duro, educação financeira e o mais importante, planejamento e foco para realizar meus objetivos.

Minha família era de classe média. Meu saudoso pai sempre trabalhou muito e isso me possibilitou estudar, ter o que comer e o que vestir.

Não tinha roupa de marca, nunca ganhei tênis caro. Chocolate, eu comia apenas na Páscoa; refrigerante, às vezes, nos finais de semana; na maior parte do tempo, estudei em escola pública.

Eu comecei a trabalhar com 17 anos, em 1997, quando os meus tios resolveram abrir uma autoescola. Ganhava meio salário mínimo, na época 60 reais, para trabalhar em horário comercial. Pouco é verdade, mas desse pouco eu já poupava uma parte.

O tempo foi passando. Aos 20 anos, surgiu uma grande oportunidade. Após realizar uma prova escrita e passar por uma entrevista com o gerente de uma agência bancária, consegui um emprego de escriturário no banco HSBC. Nesse momento, realizava o primeiro sonho de vida.

De escriturário, fui promovido para caixa. Foram dois anos de muito trabalho, de muita entrega e horas extras, de perseguir e atingir metas, de resiliência, até que, com minhas economias, realizei meu segundo sonho: o primeiro carro. Um corsa usado, com direção pesada, sem ar-condicionado e sem vidro elétrico. Uma conquista e tanto, podia chamar de meu. Estava feliz, mesmo tendo desembolsado na época 10.500 reais. Isso em 2002.

Um mês depois, sairia de férias pela primeira vez. Com 2500 reais das minhas economias no bolso, tinha a chance de uma nova realização. Apesar de a dúvida de gastar o restante do dinheiro, não via a hora de viajar.

Como a vida é feita de escolhas, e escolhas exigem decisão, resolvi gastar todo o dinheiro que me restava. Como uma criança num parque de diversões, estava em uma agência de viagens, para escolher algum lugar como destino para realizar mais um sonho.

Para o meu estilo de vida, aquilo parecia uma loucura. Mesmo sabendo que estava empregado, ficaria sem dinheiro algum. Mas loucura mesmo foi embarcar no avião, chegar ao local, desfrutar da experiência e descobrir que aquilo que eu estava vivendo era perfeito para mim. Felicidade, foi o que eu senti. Um desejo muito forte brotava internamente.

Ao voltar daquela viagem, sabia que precisava continuar trabalhando muito; abrindo mão de algumas coisas, às vezes de muitas. Escolhas também implicam perdas. A vida é dura, não se pode ter tudo. Que bom! Digo exclamando, pois tudo que se conquista com esforço, coragem, persistência e determinação é muito mais saboroso.

O tempo passou, aliás está passando, as responsabilidades aumentaram, os desafios também, perdi pessoas importantes da família. Porém, o mundo que te tira é o mesmo que te dá. Com o carinho de familiares, a vida seguiu. Conheci novas pessoas, minha qualidade de vida melhorou, minhas percepções mudaram, mas tem algo que pulsa, a todo o momento, da mesma forma, desde aquela difícil primeira decisão: a vontade de viajar.

Gostaria de pedir permissão para te provocar – no bom sentido, claro! –, a intenção deste livro é fazer você pensar e até encorajá-lo a viver o novo, despertar o interesse por algo surpreendente, a experimentar oportunidades que sua zona de conforto não lhe dará. Quero mostrar, sem imposições, que viajar pode ser transformador para você, assim como foi e continua sendo para mim.

Mas apenas você, enquanto gestor da própria vida, poderá decidir, por aceitar ou não, o desafio de mergulhar no desconhecido. Essa experiência ímpar, que expandirá sua mente, mudará a sua forma de perceber as pessoas, seus costumes e o mundo em que vivemos.

A ideia é buscar o autodesenvolvimento, tendo como pano de fundo as experiências, as melhores histórias vivenciadas, os aprendizados, os sentimentos. Os *highlights* das viagens pelas cidades, estados e países desse mundo.

Sonho bom é sonho realizado! Acredite no que estou falando. A viagem poderá se tornar para você aquilo que um dia se tornou para mim. De sonho, a um viciante estilo de vida. Hoje uma grande terapia.

Vamos viajar juntos?

 ## UM SONHO QUE COMEÇOU PELO BRASIL

Era maio de 2005. O destino escolhido: Fortaleza.

Em um domingo, no Estádio Castelão, o time da casa, o Ceará jogaria contra o Santo André, de São Paulo, pela quinta rodada do campeonato brasileiro da série B.

— *Vamos ao jogo? – sugeri ao primo que viajava comigo.*

— *Vamos – concordou de imediato.*

Somos loucos por futebol e estando lá não poderíamos perder a oportunidade. Só não sabíamos que passaríamos por uma experiência marcante, de início, assustadora; no final, engraçada.

Assistimos a uma boa partida, casa cheia, torcida vibrante. Ao final do jogo, na saída, percebemos que uma fila de ônibus estacionados estava formada do lado de fora do estádio. Eram ônibus à disposição da torcida, principalmente das organizadas. Levariam os torcedores a diversos bairros da cidade, inclusive ao centro. A gratuidade do serviço nos atraiu. Escolhemos um, dentre tantos, que estava de portas abertas.

— *Que ônibus velho! – falou meu primo.*

Era realmente antigo, com algumas partes quebradas, lataria amassada, assentos riscados, copos vazios espalhados pelo chão.

Sentamos na parte da frente, próximo ao motorista. Assim poderíamos perguntar a ele onde deveríamos descer. Como estava vazio, tivemos a sensação de estar no lugar errado.

— *Senhor, por onde passará esse ônibus? – perguntei ao motorista.*

— *O ponto final será o mercado central – respondeu.*

A localização já era conhecida. Ficamos aliviados. Foi quando de repente tudo mudou. O ônibus foi invadido, sim invadido, pela massa de torcedores do vozão, como é chamado carinhosamente o time do Ceará.

A tranquilidade deu lugar à tensão. Resolvemos esperar, quietos, de cabeça baixa, sem encarar ninguém. O ônibus partiu e os torcedores começaram a bater na lataria, como se fosse instrumento musical, e a entoar cantos, gritos de guerra que ameaçavam agredir quem estivesse parado.

Meu primo e eu cruzamos olhares, foi o suficiente para nos transformarmos nos mais fanáticos torcedores do Ceará.

Fomos até o centro de Fortaleza, num trajeto de aproximadamente 45 minutos, gritando e cantando sem conhecer canto algum. Apenas embalados pelas rimas lógicas que sugerem essas canções.

Chegamos com as mãos marcadas, voz rouca, suados, vivos e felizes. Esse dia marcaria a melhor das histórias de uma viagem repleta de praias, aventuras e parceria.

Na busca contínua pelo desenvolvimento pessoal, por respostas, por momentos de prazer, por novas histórias, essa foi a última aventura por terras brasileiras, aquela que encerraria temporariamente um ciclo de viagens nacionais. Mas chegou o momento de falar como tudo começou.

Eu sou uma pessoa intensa em tudo aquilo que me proponho a fazer. Eu mergulho mesmo de cabeça quando tenho um mar desafiador pela frente. Isso significa me entregar de corpo e alma, me dedicar, me apaixonar por aquilo que faço. E viajar nada mais é que um oceano de desafios que vai proporcionar algo diferente a cada mergulho.

Sendo assim, não consigo esquecer nenhuma viagem, mas como dizem que a primeira é inesquecível, voltarei para o ano de 2002, quando então decidi fazer a minha primeira. O começo de tudo, o início de uma história que seria contada em vários capítulos. Era a realização de um grande sonho.

Mesmo com pouco dinheiro, e isso é um fator seletivo, já havia decidido que viajaria pelo país. O destino escolhido deveria caber no bolso e esse fato por si só descartaria vários lugares.

Completamente inexperiente no assunto, resolvi ir a uma agência de viagens na cidade vizinha. Depois de muito pesquisar e fazer contas, o local que reservaria as primeiras emoções foi definido: Porto Seguro, na Bahia.

Resolvi contar a novidade para minha tia e meu tio, que moram na mesma rua. Foi então que o inesperado aconteceu, algo que marcaria ainda mais esse momento. Eles decidiram pagar para que meu primo, com 16 anos, fosse comigo viver uma nova experiência.

A viagem que começou na agência de turismo, no momento da compra do pacote, era o principal assunto de todas as conversas. Não podia ser diferente, afinal o tempo estava passando, a data esperada estava em contagem regressiva, assim como as preocupações em minha mente. Enfim, um misto de sensações.

Na véspera da viagem, não consegui dormir. Tudo era novo, cada detalhe, cada movimento. Segurava orgulhoso as passagens nas mãos. Uma mistura de nervosismo e felicidade.

Depois das despedidas, eu e meu primo entramos na sala de embarque. Naquele instante, sem perceber, eu passava por um portal invisível que me levaria a outra dimensão, com respostas que assimilaria apenas na sequência dos fatos.

A sala estava lotada. Algumas pessoas estavam lendo; outras escutavam música, conversavam, tomavam café ou simplesmente esperavam. Parecia tão normal, não para mim. Famílias inteiras na maior empolgação. O preço abusivo dos produtos, os anúncios do sistema de comunicação, a TV ligada no canal de notícias, tudo isso me despertava a atenção. De frente à janela, em pé, parecia não acreditar, a imaginação transpassava os limites do possível, ao observar cada aeronave.

"Bom dia! Passagens! Documentos, por favor!", solicitou a atendente da companhia aérea na fila do embarque. Mostramos as passagens e os documentos. "Olha lá nosso avião!", apontou meu primo. Acenamos para a família em despedida. Antes de subir as escadas, a tradicional foto com o avião de fundo.

Na porta da aeronave, comissários de bordo recepcionavam quem entrava, oferecendo balas. O corredor apertado, fila, barulho, pessoas pareciam brigar com os compartimentos tentando acomodar as bagagens. O comandante anunciava os detalhes do voo e nos dava boas-vindas. Era o novo me desafiando, acontecia comigo o que um dia eu tinha visto na TV.

Assentos encontrados e bagagem devidamente acomodada. Mal sentamos e meu primo foi atando o cinto. "Ninho, como faz para desatar isso?", perguntou ele. "Ninho" é meu apelido na família. Eu nem tinha visto que existia cinto de segurança, acho que sentei em cima. Estava atento ao movimento do lado de fora da janela.

"Portas em automático!". O comandante orientou a tripulação. Ao lado, meu primo ainda tentava desatar o cinto. Em seguida, iniciaram os procedimentos de segurança. Atenção total, tensão também. Procedimentos de segurança nos dão a sensação de insegurança. A aeromoça, que demonstrava como proceder nas mais diversas situações, nos trouxe um pouco de calma ao ensinar, principalmente para o meu primo, como atar e desatar o cinto.

O avião começou a taxiar na pista. Rezava baixinho, olhando para fora. A cada barulho a certeza de que algo estava errado. "Decolagem autorizada", disse o piloto. Turbinas em potência máxima, costas grudadas no assento, frio na barriga, seja o que Deus quiser. Antes de estabilizar, o avião fez uma curva para alinhamento de rota, já achei que tinha algo de errado, olhei para as pessoas, pareciam tranquilas, olhei para o meu primo, sonhava de olhos abertos.

Assim que a aeronave estabilizou, a comissária de bordo nos entregou uma caixinha com os dizeres "vista nossa camisa". Era ano de Copa do Mundo. Ao ler, cheguei à conclusão que ganhava naquele momento uma camisa da companhia para torcer pela seleção. Ledo engano! Estavam servindo o almoço.

Durante o voo, a turbulência. A sensação não foi boa, pior foi ao se aproximar do aeroporto de Porto Seguro, um vácuo. Sensação horrível! O avião caiu por instantes, mas parecia uma eternidade. Depois de tudo, pousamos na Bahia.

Pegamos as malas, um táxi e fomos direto para o hotel recém-inaugurado. Tudo era novo, uma sensação diferente surgia. As piscinas, nosso quarto, toda a estrutura. No jantar, muito acarajé e tapioca. Estava começando a gostar de tudo aquilo.

Aproveitamos as praias, mergulhamos nos corais com os famosos peixinhos listrados, conhecemos cidades vizinhas, fomos a festas, visitamos o centro histórico. O melhor foi voltar no tempo, para abril de 1500. Em um barco nos afastamos um pouco da costa e, ao pararmos em um ponto estratégico, o capitão da embarcação nos convidou a olhar para o continente. Assim fez Cabral ao avistar do mar um pedaço de terra, um Porto Seguro.

A cada dia que passava, sentia ainda mais que aquilo me fazia bem. Estava aproveitando cada segundo. Meu primo foi um grande parceiro e tornou a viagem melhor, dividindo momentos que nos marcaram e estreitaram ainda mais nossos laços fraternais.

A viagem terminou. Não estava triste, gostaria de ficar mais tempo, mas o fato de voltar e contar para familiares e amigos como tinha sido a experiência me motivava. São muitas as lembranças de um lugar que marcou o início da nossa nação e, por coincidência, o início de uma trajetória de vida, de histórias pessoais que se superariam a cada lugar visitado.

De fato, essa viagem estartou a realização de tantas outras pelo país e pelo mundo. Não tinha noção alguma de que era o começo de algo maior, muito forte. O escopo de uma vida, até mesmo de um livro.

Visitei outras cidades e estados do Brasil. Em cada lugar, novas experiências, novos aprendizados. A cada volta a mesma sensação, os mesmos questionamentos. Já passava pelos pensamentos a vontade de conhecer outros povos.

Ter viajado inicialmente pelo Brasil foi muito bom, conhecer um pouco mais sobre a nossa cultura, a identidade do nosso povo, a culinária típica de cada lugar, seus costumes. Na verdade, essas viagens me deram cancha para sonhar mais alto. Começava a me sentir atraído por algo mais desafiador. A vontade agora era trocar de documento, eu precisava de um passaporte. A ideia que surgia era atravessar as fronteiras internacionais.

Desde a primeira viagem, comecei a me preparar psicológica e financeiramente para o momento que em breve chegaria. O exterior agora era o objetivo. Apesar das incertezas, o futuro me reservava uma surpresa, ou melhor, várias.

Chegou o momento das melhores histórias, agora no âmbito internacional, além da minha zona de conforto. O que está por vir são os melhores acontecimentos da minha vida. Eu fui longe, muito longe, onde nunca imaginei.

A SUPERAÇÃO DE DESAFIOS NO PAÍS MAIS LINDO DO MUNDO

A porta do avião se abriu. Pular ou desistir? Os segundos que antecederam o salto foram tomados por um silêncio absoluto. Uma mistura de medo e adrenalina que me fizeram pensar no sentido da própria existência.

— Meu Deus! – gritei ao saltar da pequena aeronave.

O vento tocava meu rosto, mal conseguia respirar, o peito apertado pela pressão do ar. Não sentia minhas pernas, que apenas balançavam sem que pudesse controlá-las. Abri os braços, talvez até seguindo o comando do instrutor de salto que me acompanhava.

— Relaxe, Paulo! Sinta o salto! – falou.

A voz dele ecoava como se estivéssemos a quilômetros de distância.

— Veja o mundo daqui de cima! – disse ele, em frases entrecortadas pelo vento.

O branco das montanhas nevadas ganhou uma dimensão lá de cima. Chegava a doer nos olhos, mas a sensação de estar acima de tudo aquilo me fez pensar em como somos pequenos diante da imensidão de um mundo que não conhecemos.

Naquele momento estava perto do céu e, de alguma forma, podia abraçar a brancura das montanhas. Sobrevoava, num misto de sensações em que instantes se transformaram em eternidade. Se eu pudesse, gostaria de parar a vida naqueles segundos.

A vida e o tempo não param, mas eu precisava imortalizar de alguma maneira aquele momento, aproximadamente 50 segundos na mais alucinante queda livre da minha vida! Foi quando veio algo à mente, que sempre mexeu com o meu imaginário, talvez com o seu também.

Com a mão esquerda cravada no peito, com o braço direito erguido para frente, com o punho fechado, a imaginação dava vida a um super-herói. Por alguns segundos, eu tive a sensação de ser mais rápido que a luz. Como o Superman, a três mil metros de altura, rasgava o céu e as nuvens a mais de 200 quilômetros por hora.

A sensação de liberdade tomou conta de mim, como nunca havia sentido, voando eu parecia estar em outro plano. Não parecia real, nada mais importava, eu só queria estar ali.

Só lembrei que havia um instrutor comigo quando ele tocou no meu braço direito. Entendi como sinal de incentivo, então tocou no meu braço esquerdo e, por impulso, estiquei os dois braços para os lados. Foi nesse instante que o encantamento deu lugar à consciência. O chão estava cada vez mais próximo.

Ao abrir, o velame do paraquedas reduziu bruscamente a velocidade, dando um solavanco. Naquele momento, a física tirava de mim os superpoderes. Mesmo assim eu continuava pairando no ar, agora mais suavemente, tudo abaixo continuava encantador.

A obra divina saltava aos olhos. Os campos esverdeados e ainda orvalhados pelo amanhecer, os lagos espelhando o firmamento, o sol raiando um novo dia, a vida na cidade ganhando forma e movimento. A contemplação traduzida como um momento de felicidade.

— Atenção, Paulo! Se prepare para o pouso – disse o instrutor indicando que o fim da aventura se aproximava.

O pouso foi tranquilo e seguro. O velame e os cabos agora sem a sustentação do ar caíam por cima de mim, como se estivessem me abraçando.

Com as mãos um pouco trêmulas, retribuí o cumprimento do instrutor, fazendo-lhe um agradecimento. A equipe de resgate se aproximava. Era o ápice da realização.

O salto de paraquedas na cidade de Queenstown, a capital mundial dos esportes radicais, na Nova Zelândia, me fez refletir na vontade de superar novamente o próprio limite. "Volta!", ecoavam as vozes celestiais da minha imaginação. De alguma forma, a imensidão azul me chamava.

A resposta a essa reflexão era óbvia. Eu encontrava naquele momento o sentido da vida. Não estou falando que se jogar de um avião com paraquedas é um passo para felicidade, não é isso, até porque o que pode ser bom para mim talvez não seja para você, mas ao desejarmos repetir algo é porque aquilo fez bem de alguma forma.

Quando isso acontece, descobrimos uma razão para viver. Eu encontrei a minha viajando, vivendo aventuras, desbravando o novo, percebendo o que me alegra, o que faz sentido.

Desde o Chile, foram dois anos angustiantes até a próxima viagem. Trabalhei muito, me preparei financeiramente, intensifiquei meus estudos em inglês. Não via a hora de romper novamente as barreiras internacionais. Aventurar-me pelo mundo era preciso.

A ideia de viajar novamente mexia comigo. A preparação, o embarque e desembarque no avião, a alegria da chegada, a vontade de explorar e sentir o que vinha pela frente.

Uma vontade incontrolável por algo maior. E, de fato, um novo desafio se apresentava: viajar para o exterior sozinho, já que na viagem ao Chile tive como companhia uma família por quem tenho estima.

A busca pelo autoconhecimento me fez desembarcar no aeroporto de Queenstown. Era meio da tarde, fazia um pouco de frio. Após quase 24 horas, alternadas entre voos e espera em aeroportos, com 15 horas de diferença entre fusos horários, o último avião pousava suavemente, em uma das aterrissagens mais cênicas do mundo.

O fato de estar sozinho, em um lugar distante, longe de tudo e de todos, por si só era incitante. Desde a partida, minha mente inquieta dava voltas ao passado, pelo presente a até projetando o que poderia ser vivido naquele local.

Ao chegar ao *hostel*, tive a imediata sensação que viveria algo único. Era um lugar despojado, música alta, de gente alternativa, tipos diversos, idades variadas e de todas as partes do mundo. Na maioria, jovens como eu à procura de aventuras, festas, liberdade.

No dia seguinte a minha chegada, o primeiro grande teste: me apresentar a um grupo de 40 pessoas. Ingleses, americanos, canadenses, australianos e neozelandeses formavam a maioria, com idade entre 18 e 35 anos.

Estávamos dentro do ônibus já a caminho de um passeio. O motorista e um guia neozelandeses completavam o grupo. Era o único brasileiro. Era a chance de começar a falar inglês, estudado por anos, mas nunca colocado em prática. Todos seriam chamados para se apresentar ao grupo.

Por sorte estava sentado na parte de trás do ônibus. "Eu não sei nada", falei baixinho. Apesar de os nativos falarem muito rápido, pelas expressões faciais demonstrava que entendia tudo que estava sendo falado.

"Sua vez", falou o guia apontando para mim. Levantei-me rapidamente. Segurando a camisa da Seleção Brasileira, pelo corredor apertado do ônibus, me dirigi até a parte da frente. Ao me aproximar, o guia me entregou o microfone. De frente para o grupo, joguei a amarelinha no ombro esquerdo. Estava nervoso, envergonhado e totalmente inseguro por causa do inglês. Não conseguia enxergar ninguém. Fiz minha apresentação de forma rápida e decorada. Pensada durante as falas anteriores. Sei que fui aplaudido, lembro-me apenas da imagem; do som das palmas, não.

"Cara, eu não entendi nada do que o guia falou", comentei com um amigo americano sentado ao meu lado no ônibus. Era o segundo dia, pela manhã, quando o guia explicava a história de algum local por onde passávamos. "Não se preocupe, Paulo! Eu também não entendi algumas coisas!", disse o americano, reclamando do sotaque neozelandês. À medida que o tempo foi passando, o ouvido foi se acostumando e o inglês melhorando. Longe do ideal é verdade, mas o suficiente para me fazer entender.

Todos os jovens naquela excursão tinham o mesmo objetivo: curtir todos os momentos com aqueles que ali estavam. O entrosamento foi rápido e a barreira do idioma acabou se transformando em apenas um detalhe. Aprendi muito com todos eles.

Ao caminhar pelas ruas de Queenstown, impossível não reparar nas crianças e adolescentes de *skate* e bicicleta, levando nas mãos a caminho da escola uma bola de rúgbi, o esporte mais popular por lá. Em algumas pontes, o esporte praticado é o *bungee-jump*.

Nas corredeiras dos riachos de águas cristalinas, *rafting*. Cavernas a serem exploradas. Nas montanhas nevadas, os centros de inverno. Nos glaciares e geleiras, *trekking*. Se olhar para cima, parapentes enfeitam os céus e os mais corajosos saltam de paraquedas dos aviões. Eu saltei! A atmosfera desse lugar é indescritível!

No terceiro dia, acordei assustado, o relógio marcava 6 horas da manhã. Uma hora antes daquela que programei no meu despertador. Estava noite, ainda não tinha amanhecido. Na cama ao lado, meu colega de quarto dormia. Como estava ansioso, fui tomar um banho e aproveitar o café da manhã.

O dia que nascia dava início a uma das maiores aventuras da minha vida. Na hora marcada, todos se reuniram no saguão do hotel. Alguns ainda com sono; outros, nem tanto. Alguns, ansiosos; outros, receosos. Era dia de saltar de *bungee-jump*.

Kawarau Bridge, uma ponte histórica, o primeiro lugar no mundo a oferecer saltos de maneira comercial desse esporte. O local é cinematográfico, um dos mais belos cenários do país. Um panorama que deixa a experiência ainda mais incrível. A ponte é antiga, metálica, suspensa, liga dois desfiladeiros. Abaixo, a 43 metros, o rio Kawarau, de forte tom azulado, cintilante, resultado de uma combinação entre o degelo das montanhas, da decomposição de alguns minerais e da luz solar.

As fortes emoções já começaram por um mirante, situado lateralmente à ponte, de onde é possível acompanhar todos os saltos.

Milhões de pensamentos passam por sua cabeça ao ver as pessoas se jogando em meio ao nada. A altura da ponte, os gritos, as pessoas que desistem, a desconfiança no elástico que pode arrebentar, a explosão de alívio de quem saltou e o medo de quem ainda vai saltar misturam-se a uma confusão de sentimentos.

Os esportes radicais sempre me fascinaram. Não sei explicar, mas eles têm algo a ver comigo. Talvez pelo fato de me desafiarem, isso me motiva. Após uns 20 minutos acompanhando os saltos, fazendo fotos e vídeos, fui até o escritório da empresa que promove a atividade, fiz minha inscrição e recebi todas as orientações necessárias.

Obrigatoriamente teria que assinar um termo de responsabilidade. A escrita em letras miúdas trazia uma mensagem clara. Quem assina concorda, é o único responsável por correr quaisquer riscos, por uma eventual morte, vamos assim dizer, caso algo aconteça. Isso me fez pensar, mas decidi assinar o documento. Não seria uma simples assinatura num papel que me faria desistir de algo que sempre sonhei.

Na cabeceira da ponte, esperava inquieto pela minha vez. Autorizado gestualmente por um funcionário da empresa, comecei a caminhar passo a passo em direção ao meio da ponte, onde havia uma cabine de preparação para o salto. O barulho peculiar produzido pelo assoalho de madeira deixou o momento ainda mais tenso, mais amedrontador.

Numa mistura de sentimentos, com olhar contemplativo e após caminhar aproximadamente uns 30 metros, chegava aonde um dia sempre quis estar: em frente a um gigantesco desafio.

"Chegou a sua vez", falou um rapaz, apontando em seguida para o local que eu deveria tomar assento. "Você quer ser amarrado pelas pernas ou pela cintura?", perguntou. "Pelas pernas", respondi. Já havia decidido durante a caminhada pela ponte que queria emoção extrema.

O ritual de preparação, aquela atmosfera e o perigo se aproximando fazem você repensar se é a melhor decisão. Enquanto estava sendo amarrado, só conseguia olhar para baixo, ao rio azulado, ouvindo os gritos de quem acabara de pular.

"Fique em pé e com cuidado se aproxime", disse outro jovem à beira da plataforma. "OK", respondi. Com as pernas amarradas, tentando me equilibrar, me apoiei na estrutura metálica. Aos pulinhos, cheguei à extremidade. "Olhe para a câmera, acene para seus amigos", induziu o rapaz. Assim o fiz, pousando para a foto e dando um tchauzinho para quem aos gritos me apoiava pelo mirante. "Se jogue e curta a sensação", sussurrou o instrutor próximo ao meu ouvido.

Lá embaixo, o rio de águas azuis, suas margens, as pedras e a vegetação ganhavam dimensão e forma. Vestia a camisa amarela da Seleção Brasileira. De alguma forma, representava uma nação naquele instante. Coração acelerado. O corpo suplicando para não se jogar, era algo muito forte, talvez minha consciência tentando me limitar, me levar ao encontro do equilíbrio. A vontade desafiava os limites. Era uma decisão já tomada e seu impacto mudaria minha vida.

"3 ... 2 ... 1 ...", gritou um dos funcionários, me estimulando a saltar. Ao final da contagem, sem titubear, projetei meu corpo para frente, de cabeça e braços abertos, me atirei no abismo. "Meu Deus", gritei com todas as forças. Uma descarga de adrenalina jamais sentida. A mais absoluta sensação de liberdade. A descrição mais perfeita. Não conseguiria explicar o que eu senti ao ver de olhos arregalados o chão – nesse caso, o rio – se aproximando de forma violenta. Você não lembra e muito menos percebe que está amarrado pelas pernas.

Instantes antes do fim que parecia se aproximar, aquele mesmo descrito intrinsicamente no termo de responsabilidade, o cabo elástico quase que totalmente tensionado amorteceu a queda. Após o tranco, que é suave, a força de tração me puxou para cima. Enquanto oscilava com movimentos para baixo e para cima, até estabilizar o corpo e, mesmo com muito sangue acumulado na cabeça, só pensava em repetir a aventura.

Quando o bote de resgate se aproximou, fui colocado deitado na embarcação, tive minhas pernas desamarradas e levado até a margem do rio. Subindo as escadas do desfiladeiro, contemplei tudo ao meu redor. Sem ainda acreditar no que tinha acontecido, meu cérebro gravava os sons e as imagens na melhor resolução possível. Na minha memória, eu jamais deixei aquele lugar.

Depois do salto de *bungee-jump* e de paraquedas, contado na narrativa inicial, encontrei uma estimulante razão para existir. A superação do próprio instinto, percebida nos momentos mais desafiadores da minha vida. Foi uma prova de autoconhecimento. Encontrava ali a resposta para alguns questionamentos.

Outra aventura, não menos adrenalizante, foi encarar um passeio com o *Shotover Jet*. Por entre uma formação de cânions, que serviu como cenário para a gravação da trilogia *O Senhor dos Anéis*. Esse barco a jato, em alta velocidade, desliza serpenteando pela superfície rasa e pedregosa de um rio. A habilidade do condutor é tão surpreendente, que permite a ele passar com a embarcação a centímetros de grandes rochas.

Nesse momento, os laços de amizade com as pessoas do grupo estavam mais estreitos. Meu ouvido mais acostumado com o idioma me deixou mais confiante. Comunicar-me não era mais um problema. A cidade de Queenstown, um dos locais mais fascinantes do mundo, ficaria para trás. A viagem precisava continuar. As aventuras pelo país também.

Na costa oeste da ilha sul, em Milford Sound, vi uma das formações naturais mais deslumbrantes que já presenciei. Um fiorde, uma formação de cadeias rochosas, com vasta vegetação, cachoeiras, topo nevado, inundadas pelo mar. Por lá pernoitamos em um cruzeiro, por lá nos sentimos apequenados perante a mãe natureza.

A cada dia que passava, eu vivenciava nova experiência. Durante os passeios, as aventuras se mostravam obrigatórias. Explorei cavernas, rolei montanha abaixo dentro de esferas feitas de plástico, pratiquei *trekking* em glaciares. A ilha sul da Nova Zelândia despertou em mim um aventureiro, que se apaixonaria ainda mais pelo risco.

Partindo para a ilha norte do país, na cidade de Rotorua, visitei uma tribo Maori, seu povo indígena, de idioma próprio, que mantém suas artes, tradições e rituais. Lá fui convidado para dançar o "haka", uma dança de guerra com intuito de intimidar o inimigo. Desinibido, me juntei a eles, vestindo acessórios típicos. Meio sem jeito, tentando imitá-los, fazia cara de mau, arregalando os olhos e colocando a língua para fora. Um pouco agachado, batia com as mãos nas pernas e, aos berros, tentava repetir o que o líder pronunciava.

Na ilha norte ainda tive a oportunidade de conhecer fontes, lagos termais, piscinas de lama, vulcões e gêiseres. Por lá, ainda visitei *sets* de filmagens, locações externas de diversos e famosos filmes. Em outras cidades, desfrutei momentos de diversão e alegria com todo o grupo.

Ao sair sozinho do Brasil, estava receoso, cheio de dúvidas quanto à forma de me relacionar com estrangeiros. Era a primeira vez, o único brasileiro no grupo. Como se aproximar? Como vencer a barreira de outro idioma? Qual a melhor maneira de puxar uma conversa? Como reagiriam?

Todas essas perguntas foram respondidas ao passar dos dias. As pessoas de outros países, assim como eu, dão valor a uma boa e verdadeira amizade. Nada de serem mais frios, mais fechados ou coisa do tipo. As pessoas costumam refletir o comportamento das outras. Educação, gentileza, honestidade, cordialidade, respeito são características bem recebidas por qualquer cidadão do mundo. E assim me retribuíram.

Mesmo que saia sozinho da origem, na chegada e durante todo o tempo no destino, pessoas cruzarão seu caminho. Depende apenas das nossas atitudes em querer transformar esses encontros em grandes oportunidades.

A Nova Zelândia é um país pequeno, organizado, civilizado, de povo afetuoso e prestativo. Para mim, essa nação foi ótima escola, o lugar que deu partida a um novo olhar sobre o sentido da minha existência.

LONDRES, A MELHOR EXPERIÊNCIA DA MINHA VIDA!

Era junho de 2010, estava prestes a tomar a decisão mais difícil da minha vida.

Dez anos antes, no mesmo mês, eu realizava o primeiro sonho, a conquista de um excelente emprego.

Aos 29 anos, vivia o melhor momento profissional de uma carreira que se desenhava promissora.

"Será que realmente devo fazer isso?" – questionava-me há um bom tempo.

As coisas estavam diferentes, aquilo não mais me desafiava, a motivação já não era a mesma, embora nunca demonstrasse.

"Será que realmente devo abrir mão de uma carreira em ascensão, em uma das maiores instituições financeiras do mundo?" – essa era a grande questão, a forte dúvida que martelava a minha cabeça.

A empresa onde trabalhava – acreditava – apostava fortemente em minha trajetória como executivo. Era um profissional dedicado, premiado, com habilidades em recursos humanos, um líder jovem que apresentava ótimos resultados. O perfil ideal na condução de equipes, em busca por metas e objetivos.

No entanto, o tempo foi passando e muitas coisas começaram a me incomodar dentro da instituição. Não concordava com algumas decisões, com as quais me sentia convidado a deixar meus princípios, a deixar de ser quem eu era. Não pela empresa, que sempre pregou o compliance, mas pela ambição cega de algumas lideranças.

"Será que isso tudo vale a pena, aceitar goela abaixo algumas situações apenas pelo crescimento profissional, por dinheiro ou para manter o status?" – as dúvidas continuavam.

Mas havia algo muito forte, um desejo que pulsava, uma grande motivação, em meio ao pandemônio existencial que estava vivendo. "Deveria largar um ótimo emprego, outrora sonhado, para viver um novo sonho?"

Cada dia eu vivia um desafio. Não mais pelas inúmeras metas diárias, semanais, mensais e anuais a serem cumpridas, mas pelo sofrimento que a vida profissional estava me causando.

Não sirvo para ser metade, para ser morno. Quando me entrego, é por inteiro. Quando mergulho, é de cabeça. E o que me proponho a fazer é com o objetivo de alcançar sempre o melhor resultado.

Só faltava um gatilho, a última gota d´água, um estopim. Seria questão de tempo.

— Bom dia, é o Paulo, gostaria de conversar com o diretor! – falei, ao telefone, com a secretária.

Era início de uma manhã de sexta-feira.

— Bom dia, Paulo, tudo bem? Qual seria o assunto? – perguntou.

— Por favor, diga a ele que é particular! – respondi.

O telefone foi colocado no modo espera, por alguns segundos, com aquelas músicas repetitivas de fundo. Achei que a ligação estava sendo transferida.

— Paulo, o diretor falou que só irá lhe atender se antecipar o assunto, caso contrário ligue mais tarde! – disse a secretária, impondo a ordem recebida.

O modo como fui tratado naquele momento, que ainda era de incertezas, me trouxe a mais pura convicção, deixando clara a decisão que deveria ser tomada. Ainda assim, tentei insistir falando da particularidade e importância do assunto, mas não tive êxito.

— Ok! Diga a ele então que estou me desligando da empresa e que não irei mais tomar seu precioso tempo! – falei, com indignação, desligando o telefone.

A decisão caía como uma bomba para minha família, amigos, colegas de trabalho, colaboradores da equipe e até mesmo para a instituição. Começaria uma tempestade de tentativas para que eu voltasse atrás do que havia decidido. Desde ótimas ofertas de aumento salarial, promoção de cargo, ligações de amigos pedindo para repensar sobre o meu futuro na empresa, os apelos da excelente equipe da agência, de outros colegas, até mesmo a pressão de alguns familiares. Tudo em vão. Nada, nada mesmo, nenhum argumento me faria mudar de ideia. Chegava ao fim uma carreira de sucesso.

A opção pela saída do emprego, além de tudo que aconteceu, não foi decidida do dia para a noite. Há anos vinha me programando financeiramente, pensando que um dia isso pudesse acontecer. Ser solteiro, jovem, independente e não ter nada que me prendesse foram fatores determinantes que contribuíram para essa decisão.

Eu não era, nem sou nenhum louco, sempre tive o hábito do planejamento, dos pés no chão. Às vezes relutamos em tomar decisões na vida e isso faz com que percamos oportunidades. Eu não sabia o que estava por vir, até porque não há destino que não tenha no meio do caminho alguma pedra, alguma dificuldade, mas isso não poderia inibir uma realização.

Eu precisava fazer uma ruptura, tomar uma decisão, essa era a chance. A própria saúde já demonstrava sinais de enfraquecimento. E dinheiro, embora seja importante, não é tudo, nem mesmo o que eu mais queria naquele momento. Estava disposto a gastar o que guardei, em vez de só ganhar, acumular e não viver.

Diante disso, motivado por uma vontade de mergulhar no desconhecido, de viver uma grande aventura, era chegada a hora de realizar mais um sonho: de morar fora do país, de fazer um intercâmbio. A cidade escolhida foi Londres. O que eu não imaginava, após deixar tudo para trás, é que viveria a melhor e mais incrível experiência da minha vida!

Na contagem regressiva dos dias, a corrida por documentos, passagens, visto e demais exigências começava. Decidi que me hospedaria em uma casa de família inglesa, a conhecida *host family*. A escola, o principal ponto de atenção, também já havia sido escolhida.

O período que antecedeu o intercâmbio foi uma fase maravilhosa. Cada contato com a família, amigos ou ações que antes eram rotineiras ganharam proporções inimagináveis, numa mistura de percepções e sentimentos. Inclusive o momento da despedida dos familiares foi tomado por forte emoção.

O barulho das turbinas do avião indicava que era hora de partir. A decolagem marcaria o fim de um período que, nos últimos tempos, pela falta de motivação, por alguns acontecimentos e pela mesmice cotidiana se mostrava em preto e branco, e o início em um mundo que agora ganharia cores.

Mas um mundo novo nem sempre começa de forma tranquila. "Bom dia, seu passaporte por favor?", solicitou um agente policial assim que coloquei os pés fora da aeronave em terras inglesas. Fiquei um pouco assustado, esperava ser interrogado somente no setor de imigração. "O que você veio fazer aqui?", perguntou-me, folheando meu passaporte, que já estava nas mãos dele. "Senhor, venho para um intercâmbio, vou estudar inglês e morar em uma casa de família", respondi um pouco tenso.

Depois do alívio da primeira situação, mais à frente, passaria por uma nova sabatina, agora na cabine de imigração. Como portava todos os documentos necessários, ouvi atentamente as perguntas e, mesmo demonstrando um pouco de nervosismo, respondi a todas com firmeza. "Seja bem-vindo, Paulo. Aproveite seu tempo na Inglaterra!", falou o policial, carimbando o passaporte. Pronto, a porta de um novo mundo se abria. Enfim, mais um sonho se tornava realidade.

Do aeroporto, fui direto até o endereço de minha hospedagem. "Olá, você é o Paulo? Bem-vindo, entre, essa é a sua nova casa!"

Assim fui recebido pelo jovem casal, ao abrir a porta da casa 35B, em Sydenham, ao sudeste de Londres. Eu moraria com essa família apenas um mês, assim estava definido pelo contrato. No entanto, nosso relacionamento foi tão intenso, formamos um vínculo tão forte que, durante esse período, nos tornamos amigos.

Sabendo que eu teria dificuldades em procurar e até mesmo encontrar um novo lugar para morar, me convidaram a permanecer, a continuar morando com eles e com o Tiggy, um gato persa de estimação. Aceitei de imediato. Eu me diverti e aprendi muito com o casal, principalmente o idioma. Uma grande parceria, marcada por passeios, cinemas e todo tipo de entretenimento. Cheguei a levá-los a uma churrascaria brasileira. Até pizza doce, apresentei a eles.

A confiança era tamanha que eu tinha a chave da casa, não havia limite de horários nem regras estabelecidas. O que havia era respeito, educação e admiração. Eles realmente gostavam de mim, e a recíproca era verdadeira. Isso foi uma das partes mágicas da minha vivência em Londres. Por sorte, ou quem sabe destino, tê-los como família fez toda a diferença.

A volta aos bancos da escola fora do país seria uma experiência desafiadora. Aprender um novo idioma, conviver com pessoas de cultura completamente diferente, trocar experiências e a cada dia deparar com novas descobertas formavam uma explosão de situações, cuja percepção era de vida plena.

O cotidiano era frenético, porque assim desejava. Eu me sentia vivo ao explorar cada canto de Londres. Os passeios pelas proximidades e arredores de Piccadilly Circus, Leicester Square, Covent Garden e principalmente por Camden Town, meu bairro preferido, o lugar mais descolado e alternativo do mundo, se transformaram em uma deliciosa rotina.

Minhas aulas eram no período da tarde, no entanto, horas antes, sempre que podia, "matava tempo" em algum museu ou galeria de arte, geralmente gratuito. Queria viver cada momento na intensidade devida que a oportunidade merecia. Adorava frequentar diariamente o *double-decker*, o tradicional ônibus vermelho de dois andares, sem falar do frenético metrô de Londres e ouvir a todo o momento a peculiar e inesquecível frase: *"mind the gap".*

Após as aulas, geralmente nas segundas-feiras, a galera se encontrava no Walkabout, um *pub* que se transformava em balada, conforme a noite fosse avançando. As festas com pessoas das mais diferentes nacionalidades marcaram momentos do mais bel prazer. Inesquecíveis também eram os encontros e bate-papos com os colegas de escola no Starbucks, Nero, Costa, os cafés, que estão em cada esquina da cidade.

A atmosfera escolar me devolveu o vigor e a essência da juventude, oportunizou fazer amigos de todas as partes do planeta, inclusive a viajar por cidades e outros países da Europa. Eu realmente vivi momentos de magia, de fascínio, enquanto me divertia aprendendo inglês.

A terra da Rainha, em boa parte do tempo, fria e cinzenta, em alguns dias de pleno inverno, me apresentou o cair da neve, bem como a noite, a partir das 4 horas da tarde. Consigo me adaptar facilmente a qualquer tipo de situação, mas confesso que na primeira vez que isso aconteceu foi algo impactante, haja vista estar acostumado com o sol e o clima tropical do Brasil.

Como sou um apaixonado pelo mundo da bola, assim como os ingleses, fiz parte de algumas peladas de fim de semana nos parques com colegas e amigos da escola. Assisti a grandes partidas dos principais clubes pelo campeonato inglês e pela Champions League. Para ter uma ideia, precisei me tornar sócio torcedor do time do Chelsea, para conseguir comprar ingressos e ir aos jogos. Até no famoso e histórico Estádio de Wembley, vi uma partida da seleção da Inglaterra, pelas eliminatórias da Eurocopa.

Londres é uma cidade que não dorme, que pulsa 24 horas por dia, em que tudo acontece. Foram várias as atrações e acontecimentos marcantes que vivenciei. Um deles foi ter visto pela primeira vez um Papa, Bento XVI, a poucos metros, numa verdadeira saga de fé, de espera e correria atrás do Papamóvel, pelas avenidas e ruas, ao redor do Palácio de Buckingham.

Outro fato inesquecível foi ver a Rainha Elizabeth, com toda a sua elegância, passando pelo tapete vermelho, em um corredor, separado por grades, bem pertinho de onde estava, em direção ao cinema que aconteceria a *première*, o lançamento do filme *As Crônicas de Nárnia: A viagem do Peregrino da Alvorada*.

Como vivia um sonho, jamais me permiti deixar de aproveitar cada instante. Em uma das manhãs, programei para conhecer dois locais históricos, em que fotografar e filmar não eram permitidos. O primeiro lugar explorado foi o interior da Abadia de Westminster, onde acontecem coroações, casamentos reais e estão sepultados monarcas da Inglaterra e outras pessoas importantes da história.

Enquanto caminhava contemplando vitrais, ornamentos e tudo que via pela frente, num certo instante, resolvi fazer uma parada para tomar um pouco de água. Foi quando olhei para o chão e, para minha surpresa, estava em cima da lápide de Charles Darwin[1]. Um pouco mais à frente, encontraria também a lápide de Isaac Newton[2].

A visita pelo interior do Parlamento Britânico me proporcionou conhecer a Câmara ou Casa dos Lordes, que abriga o espetacular trono dourado, onde Sua Majestade, a Rainha Elizabeth II, vestida com sua capa e a valiosa coroa, faz seus discursos, numa tradição secular.

Na monumental e centenária construção, pude visitar também a Câmara ou Casa dos Comuns, em que os representantes eleitos pelo povo, situação e oposição, discutem e definem, frente a frente, os destinos das

---

1 Charles Darwin (1809-1882) foi um naturalista e cientista inglês. Autor de *A origem das espécies, por meio da seleção natural*, foi uma das figuras mais importantes sobre o evolucionismo e origem da vida.

2 Isaac Newton (1643-1727) foi um físico, astrônomo e matemático inglês. Seus trabalhos sobre a formulação das três leis do movimento levaram à lei da gravitação universal, à composição da luz branca e conduziram à moderna física óptica. Na matemática, ele lançou os fundamentos do cálculo infinitesimal.

políticas públicas da nação. Por incrível que possa parecer, esse é o único lugar em seu reinado em que a Rainha não pisa de jeito nenhum. Eu pisei talvez por não correr em minhas veias o sangue azul.

Mas foi em Piccadilly, sentado nas escadas da famosa fonte com a estátua de Eros, enquanto esperava dar a hora de entrar para uma das aulas, que receberia uma ligação que me levaria a um convite inusitado: trabalhar em uma sinagoga. Durante o intercâmbio, essa era uma opção quase que descartada pelas minhas intenções. A ideia inicial era apenas estudar e viajar. O convite, no entanto, mexeu comigo.

A proposta partiu daquele que se transformaria no melhor dos amigos, durante minha estada. Um ser humano, na melhor concepção que sugere a palavra. Um excelente anfitrião, a quem sempre serei grato, por ter me ajudado de muitas formas. Sua paixão por Londres faz com que seja o melhor dos guias, que leva a conhecer os mais belos e inusitados ângulos, que a maioria dos turistas não vê.

No sábado seguinte, viveria uma experiência de trabalhar num local frequentado apenas por ingleses, o qual serviria como oportunidade para aprender e melhorar o idioma. Sem falar que conheceria uma nova cultura religiosa, pessoas com hábitos diferentes, ganharia um dinheiro extra e faria novos amigos.

A escola, o idioma, os amigos, as festas, as viagens, a cidade e agora o trabalho me motivavam. Estava empolgado e os dias na sinagoga passaram a ser mais frequentes. Mas teve um sábado que seria especial, que marcaria um encontro, que colocaria na minha vida um anjinho, com cinco anos de idade.

Uma criança introvertida, meiga, amável, carinhosa que, em vez de querer participar e brincar com seu grupo, preferia escapar das suas atividades para estar ao lado do meu amigo, que a tratava como se fosse um filho.

E por força do destino, quem sabe por inspiração divina, ou por algo talvez inexplicável, num certo momento ele se aproximou de mim e, com sua voz infantil, falando um inglês angelical, que soava como uma linda canção, perguntou quem eu era e por que estava ali.

A minha resposta, dada no mesmo tom, procurando usar a mesma linguagem, foi suficiente para confirmar o que ele já sabia, ou procurava saber. Ele faria um novo amigo, capaz de carregá-lo para cima e para baixo naqueles carrinhos de cozinha, que jogaria bola, que brincaria de qualquer coisa, que lhe daria doces e mais doces, como mimos.

O que eu não imaginava é que as inocentes brincadeiras aflorariam um carinho, uma cumplicidade, uma parceria que ganharia dimensões fraternas e sinceras, e que aquele menino, que eu costumava dizer, ser o meu melhor professor de inglês, se transformaria em um grande amigo.

Depois de sete meses, concluía meu intercâmbio em Londres e recomeçava outro processo no Brasil. Tinha certeza de que a minha volta seria marcada por um novo ciclo. O fato de ter morado, estudado e trabalhado em outro país, ter passado por algumas dificuldades, várias descobertas e aprendizados, me fortaleceu, me tornou internamente melhor.

Londres ficaria tão marcada em minha história, que acabou se tornando minha segunda casa. Uma base de partida ou de chegada de algumas viagens. Após o intercâmbio, tive a oportunidade de voltar por mais duas vezes. A última delas foi a mais marcante. Não apenas pelo fato de rever a cidade, colegas e amigos, mas por viver um período curto, de seis dias, porém muito intenso, ao lado de um tio, uma tia, meu primo, sua esposa e um casal de amigos.

Juntos aproveitamos as delícias, os encantos, os prazeres diuturnos desse lugar em que a presença, as atividades e os movimentos da realeza nos permitem sentir e viver uma monarquia como se fosse um conto, o que torna essa cidade pomposa e única no planeta.

Parado em frente ao imponente símbolo da cidade, o Big Ben, primeiro ponto turístico que fiz questão de visitar assim que cheguei a terras britânicas, em silêncio, fiz uma oração de agradecimento a Deus por tudo que havia vivido. O badalar do sino, que outrora anunciava o início, agora finalizava a história de um jovem que teve a coragem de realizar seu sonho.

EGITO, SUA HISTÓRIA E SEUS TESOUROS

Era o segundo dia, 8h15 da manhã, chegava ao Museu Egípcio do Cairo. Uma das viagens mais desejadas já era realidade. Não havia muitas pessoas no local.

— Bom dia! Que horas abre o museu? – perguntei a um senhor uniformizado.

— Às 9 horas, mas você já pode comprar o bilhete – respondeu, apontando para a bilheteria.

Agradeci ao senhor a informação. Com o ingresso em mãos, passei a admirar a parte externa do prédio, com seus jardins repletos por papiros e flor de lótus.

Assim que as portas se abriram, fui um dos primeiros a entrar. Estava ansioso pelo momento. Caminhando de um lado a outro, observava milhares de peças, objetos, estátuas.

Num certo momento, um brilho sedutor, mais ao fundo do corredor, a dezenas de metros, me despertou a atenção. Parecia me convocar.

— O que será aquilo? – questionei-me.

Inexplicavelmente, fui direto àquele local, respeitando o chamado. Nada mais parecia ter importância.

— Não acredito que você está aqui! – perguntei, como por telepatia, assim que a vi, a poucos metros, da porta de entrada de um salão especial, vazio naquele momento.

— Se aproxime! – ouvi.

Levei um susto. "Ela está falando comigo?". Assim mesmo me aproximei.

Naquele momento, apenas eu e ela. À minha frente, o maior tesouro do mundo, a máscara mortuária do Faraó Tutancâmon. Com seu olhar profundo, sereno, beirando à tristeza. Uma expressão jovem num rosto dourado. De sobrancelhas bem delineadas, orelhas saltadas.

— *Você foi poderoso, ainda criança comandou um império. E aí, como é a experiência pós-morte?* – *perguntei ao jovem rei, num instante de introspecção.*

Silêncio. Não obtive resposta.

Os egípcios acreditavam na vida após a morte. O toucado da cabeça, em ouro maciço e lápis-lazúli, retratava ainda mais seu poderio. A cobra e o abutre ostentados em sua testa representavam proteção.

Estava hipnotizado, parecia em outro plano. Quanto mais olhava, maior era a sensação de estar sendo correspondido.

— *Senhor, venha!* – *escutei um sussurro.*

Era uma voz longínqua.

— *Seria o Rei Tut, mais uma vez, me chamando?* – *pensei.*

Foi quando senti um leve toque em meu braço.

— *Senhor, venha, por favor. Uma equipe de TV precisa fazer algumas imagens na sala* – *pediu educadamente um dos seguranças do local.*

Era a mesma voz de antes, da porta de entrada. A conexão com o artefato naquele momento teria sido tão forte que, ingenuamente, achei que o Faraó falava comigo.

Foram poucos, mas eternos minutos, trocando olhares com uma das principais descobertas arqueológicas da humanidade.

Mas ao me direcionar para outra sala do museu, senti um arrepio e um sussurro em meu ouvido como se alguém falasse comigo em outra língua. Imaginei que fosse novamente o segurança do museu, talvez usando o dialeto deles.

Virei-me para ver quem era e até entender o que estava dizendo. Mas não havia ninguém.

O Egito sempre foi um sonho, pertencente a uma seleta lista de desejos, desde as primeiras páginas dos livros de escola. Esse país, seu povo, sua riqueza cultural e histórica, a religião, os escritos, os mitos e lendas sempre estiveram presentes no meu imaginário, a ponto de me considerar um egiptomaníaco.

Estava em Londres vivendo o intercâmbio quando decidi viajar para o Egito. Como teria pela frente três semanas de férias escolares, resolvi que deveria conhecer o lugar que me levaria ao começo de tudo, a primeira civilização da história.

O voo de Londres ao Egito foi tranquilo até o momento da aterrissagem, a pior da minha vida. O comandante informou que a cidade de Cairo estava sob uma forte tempestade de areia, que poderíamos ter alguma turbulência. Foi o que aconteceu. Durante a aproximação, o avião fazia movimentos bruscos, de cima para baixo, de um lado para o outro.

Foram minutos de muita tensão. Ouvi alguns gritos que vinham da frente e dos fundos da grande aeronave. Compartimentos de bagagens se abriram com os fortes solavancos. Algumas pessoas rezavam; outras, estáticas, se apoiavam na cadeira, mantendo os olhos fechados. Estava nervoso, não conseguia avistar nada pela janela. Assim que o avião tocou o solo e reduziu a velocidade, todos aplaudiram o piloto, sua equipe, em tom de agradecimento.

Ainda muito ansioso pelo pouso da aeronave, mal cheguei ao hotel, deixei a bagagem e resolvi visitar a única das sete maravilhas do mundo antigo que sobreviveu ao longo dos anos. Eu não via a hora de vê-la. O mistério do lugar, como foi construída, o que ainda não se sabe a respeito de toda essa mística que envolve o monumento, ganhava proporções à medida que o taxista discorria sobre a construção.

Aliás, a conversa foi durante um trajeto de aproximadamente 20 quilômetros, num sistema de trânsito completamente caótico, o mais desregrado que já presenciei. As buzinas formam uma sinfonia, dando um tom barulhento a ruas movimentadas, avenidas congestionadas, sem sinalização, onde não parece haver preferencial. Os pequenos acidentes são corriqueiros e normais. Andar de carro, moto, bicicleta ou a pé por Cairo era uma grande aventura.

Chegando ao complexo de Gizé, não sei se por sorte ou azar, a tempestade de areia parecia ganhar ainda mais força. O vento forte parecia agredir a todos que por ali estavam. Ao fundo, era possível enxergar apenas a maior das pirâmides. Antes de me aproximar da grande pirâmide, uma parada para apreciar a Esfinge. Uma representação escultural, mítica, de um corpo de leão com cabeça humana, envolta por um turbante real, voltada para o nascer do sol.

Caminhei até a pirâmide de Quéops. Emocionado, perante a histórica e impressionante construção, decidi subir nos gigantescos e milenares blocos de pedras, escalando alguns degraus do antigo monumento. Sentado a uma altura aproximada de quinze metros, admirei o sol entrecoberto pela impetuosa nuvem de areia que causava um efeito nunca visto, a grande Esfinge vigiando a entrada do complexo, o imponente deserto, os camelos, o movimento de vai e vem das pessoas, a forte tempestade que avançava sobre a cidade a encobrindo.

O Egito me dava boas-vindas numa atmosfera cinematográfica. Uma visão apocalíptica que remetia ao período antigo, das temidas pragas, de uma civilização que parece ter parado no tempo. Assim foi o meu primeiro contato com o Saara e com as colossais pirâmides de Gizé. Parecia estar sonhando, afortunadamente; no entanto, era realidade.

À noite, no hotel, me encontraria com todo o grupo de turistas. No dia seguinte, estátuas, sarcófagos, objetos, artefatos e múmias preencheriam meu dia, na maior aula de história que presencialmente já vivenciei. Porém, foram os pertences do Faraó Tutancâmon, principalmente sua máscara mortuária, que mais me chamaram a atenção, inspirando até a contar a narrativa que iniciei o capítulo.

Após um típico jantar egípcio, fui para a estação de trem, onde embarquei rumo à cidade de Luxor, no sul do Egito. O trajeto levaria aproximadamente 10 horas, madrugada adentro, em um trem antigo, pouco confortável. Havia muitos egípcios naquele vagão. Foi quando, ao passar vagarosamente por uma pequena cidade, durante a alvorada, pude perceber, com as luzes ainda apagadas, que todos se levantaram após ouvir o Almuadem, o encarregado em anunciar em voz alta o momento das preces diárias. Era o meu primeiro contato com a religião muçulmana e seus rituais.

Respeitando o chamado, aqueles homens começaram a orar com os corpos voltados para Meca. Com respeito e, em silêncio, prestei atenção em cada detalhe, seus movimentos, trejeitos, a concentração, a entrega durante o ato de fé. Uma energia muito forte, verdadeira. Assim que acabaram a reza, senti a necessidade de agradecer pelo momento que estava vivendo. Em voz baixa, olhando para o mundo que passava lá fora, fiz a minha oração.

Desde Luxor, visitei a maioria dos templos pelo sul do Egito. Verdadeiras obras de arte, de capacidade arquitetônica fenomenal, imponentes, que mostravam a força de um povo que deixou importante legado para toda a humanidade. Mas uma boa história aconteceria durante o trajeto rumo ao complexo arqueológico de Abu Simbel, onde há dois templos: o do Faraó megalomaníaco Ramsés II e o de sua esposa, a Rainha Nefertari. A construção em homenagem a Ramsés foi devidamente alinhada com o sol, para que o astro em duas ocasiões no ano ilumine a estátua do faraó e dos deuses, aos quais o templo se dedica.

Era madrugada, em torno de 3 horas da manhã. A ida até os templos levaria algumas horas pelo meio do deserto. Cansados, os outros integrantes da excursão aproveitaram para dormir durante o trajeto. Como não consigo dormir quando estou em algum meio de transporte, resolvi abrir a cortina da janela do ônibus e admirar o céu do Saara, o mais estrelado que os meus olhos já viram.

Percebi que alguma coisa brilhante havia riscado o céu, chamando a minha atenção. Foi muito rápido, mas o fato me deixou ainda mais desperto, pois nunca tinha visto algo parecido. "Seria uma estrela cadente, um cometa, um satélite?". Sem conseguir explicar, a primeira passagem que me veio à mente foi a história dos três reis magos e a estrela guia. Talvez pelo contexto. Era noite, no deserto e faltavam apenas 10 dias para o Natal.

Estava sentado na parte de trás do ônibus. As luzes apagadas. Olhei para a frente, para os lados e ninguém se movia. Todos pareciam dormir. Inclinei novamente a cabeça na janela e voltei a admirar o cosmos. De repente, os riscos brilhantes se intensificaram. "Devem ser mesmo estrelas cadentes", pensei. Fiquei inquieto, queria chamar alguém. Continuei a observar. Ao achar que estava presenciando uma chuva de estrela cadentes, resolvi fazer um pedido, de acordo com a antiga tradição. Por ser tão forte a visão, fiz um pedido emblemático para o resto da vida. Não se tratava de nada material, tem a ver com aquilo que julgo ser a coisa mais importante, a mais preciosa, de valor incomensurável, que não depende só de mim.

Logo que o dia amanheceu, o ônibus chegou ao seu destino. "Cara, acho que durante a noite vi uma estrela cadente", falei ao guia, meio envergonhado, pois não tinha certeza do que havia visto. "Paulo, todas as noites caem centenas, talvez milhares delas. O céu do deserto é um espetáculo à parte! Fez seu desejo?", perguntou o guia.

Dei um sorriso, enquanto acenava que sim com a cabeça. Meu olhar estava distante, sua pergunta me levava ao momento da visão. "Paulo, vamos!", falou o guia, me dando um cutucão no braço, como se estivesse me acordando de um sonho. Com certeza, ele entendeu que o acontecimento da noite passada foi algo incomum e que ficaria eternamente na minha memória.

No dia seguinte, embarquei em uma Feluca, uma embarcação a vela tradicional do Egito, com a qual naveguei pelos afluentes daquele que foi o responsável pela vida e pelo crescimento daquela civilização, o Rio Nilo. Levado pela suave brisa, observando o pôr do sol, velejei até as margens do deserto. Por ali, passei a noite, com comida, bebida, danças típicas e *marshmallows* assados. Ao amanhecer, naveguei até o templo de Philae, dedicado a Ísis, deusa do amor.

Era dia do meu aniversário, mas não falei para ninguém. À noite, após um banho, me dirigi ao saguão do hotel. Junto ao grupo, descobri que teríamos uma aventura diferente pela frente. Fomos levados a um local onde uma cáfila, especialmente preparada, nos aguardava.

Nessa noite, resolvi usar um turbante branco, com detalhes em azul e dourado, que havia comprado na capital, Cairo. Estava me sentindo um faraó. O desafio era subir no camelo, o que não foi fácil. Fui ajudado por um local. Quando todos estavam prontos, começamos a cavalgada por aproximadamente três quilômetros, no meio do escuro deserto, até chegarmos a um pequeno vilarejo.

Assim que descemos dos animais, passamos por um corredor com artesanato à mostra. Seguimos em direção a um salão simples, de chão batido, coberto por tendas. Nesse lugar, com mesas, cadeiras e paredes decoradas, tivemos uma aula sobre a clássica linguagem dos hieróglifos, a escrita antiga por meio dos símbolos.

Em seguida, foi servido um típico jantar. A descontração tomava conta do ambiente. Todos estavam muito falantes. Foi quando as luzes do modesto local se apagaram. E tive uma agradável surpresa. Ao som de parabéns pra você, em inglês, um egípcio, vestido a caráter, puxava o canto, trazendo em minha direção um grande bolo, coberto por frutas, glacê e chocolate. O guia havia preparado tudo, tinha nossos dados e manteve em segredo.

Todos os colegas entraram no clima e começaram a cantar. Ao final do cântico, pediram para que eu fizesse um desejo, logo que apagasse a única vela que estava sobre o bolo. Uma cena surreal. Dezenas de pessoas, de todas as partes do mundo, reunidas em um vilarejo, no meio do Saara, à noite, comemorando o meu aniversário.

Tomado pela emoção, assoprei a vela. Só consegui pensar em um pedido, exatamente o mesmo de quando vi as estrelas cadentes.

Em discurso, com a voz um pouco embargada, agradeci a todos pelo carinho e por compartilhar o marcante momento. A noite seguiu com muita diversão.

A ocasião imprevista tinha um significado precioso. Era o primeiro aniversário longe de casa, da família, dos amigos e me fez voltar ao passado, relembrar o que passei, e novamente ao presente, para refletir quem me tornei. A data especial sugere a possibilidade de renascer, de dar um passo à frente na evolução, no autodesenvolvimento e as viagens são capazes de proporcionar momentos surpreendentes, de pura alegria. Viajar é relacionar-se com o mundo, com o novo, com o diferente, com o inesperado, com a vida.

No outro dia, visitei o Vale dos Reis, um local escolhido pela topografia segura contra saqueadores, para ser a eterna morada dos faraós e seus pertences. A protagonista do vale é uma gigantesca montanha em formato natural de pirâmide. Uma imensa necrópole, um lugar incrível, com muita história. Esse foi um dos locais mais impressionantes que já visitei. Caminhando pelo desfiladeiro, é possível identificar as pequenas entradas, que escondem nas profundezas a riqueza artística das tumbas faraônicas.

Ao entrar em três delas, em alguns momentos, deparei-me com difícil acesso, longas escadarias, estreitos corredores, grandes salas, sarcófagos, paredes lisas, com pinturas que simbolizam diversas representações e inscrições, feitas há mais de três mil anos. Verdadeiras obras de arte, inexplicavelmente esculpidas no interior de uma montanha. Do lado externo, ao longe, avistei grupos de escavadores e arqueólogos que trabalhavam na busca de novas descobertas. Só no Egito é possível viver esse tipo de experiência.

O dia seguinte marcaria o início do caminho de volta à capital egípcia. O fim da viagem se aproximava. Depois de horas de estrada com o grupo, paramos para jantar na cidade de Hurghada, um balneário banhado pelo bíblico Mar Vermelho. Na beira da praia, não resisti.

Como estava de bermuda, tirei o tênis, as meias e, descalço, corri ao encontro das abençoadas águas. Era um chamado espiritual muito forte, é como se o mar fosse se abrir novamente. Lavar as mãos e o rosto me trouxe uma sensação confortante. Parecia estar lavando a alma. Fiz uma oração agradecendo a Deus pela oportunidade.

Depois do jantar, seguimos viagem madrugada adentro e chegamos à capital egípcia, no início da manhã. Sem perder tempo, me dirigi ao complexo de Gizé, para uma nova visita. As pirâmides e a esfinge me receberam em outro cenário, bem diferente. Fazia sol, calor, céu azul, um dia espetacular.

Após uma caminhada contemplativa pelo histórico local, tive a oportunidade de conhecer o interior milenar de uma das pirâmides, a do Faraó Quéfren, aberta para visitação. O acesso se deu por uma entrada pequena, era necessário andar agachado por quase todo o claustrofóbico trajeto, descendo por corredores íngremes e apertados, utilizando passagens estreitas, algumas por sinal falsas, construídas com o intuito de despistar os ladrões. Tudo fruto de uma meticulosa e misteriosa engenharia, que desafia o entendimento da ciência.

Após o complicado percurso, enfim, deparei-me com a câmara funerária; ao lado do sarcófago destampado e vazio, atingia o ápice histórico de minhas viagens. Não era uma simples visita, muito menos um lugar qualquer. Representava algo maior. Toda aquela atmosfera, a energia sentida, os segredos ali guardados me remeteram a pensamentos sobre o verdadeiro significado da vida e da morte.

Chegava o momento de voltar ao hotel e arrumar as malas, pois à noite voaria para Londres. No entanto, graças a uma forte nevasca na capital inglesa, meu voo foi cancelado e remarcado para dois dias. Com o dia seguinte inteiramente livre, fui até Alexandria. A cidade portuária do Mediterrâneo que, no passado, abrigou outra das sete maravilhas do mundo antigo, o Farol de Alexandria. Um passeio rápido que proporcionou conhecer a moderna e renomada biblioteca da cidade.

O Egito é misterioso e, ao mesmo tempo, encantador. Lugar de encontros surpreendentes, em que o misticismo se faz presente na tentativa de decifrar cada símbolo. O berço da humanidade, onde há mais perguntas que respostas. Um destino obrigatório para os amantes de história. Uma viagem que deixou saudades, pelas sensações, emoções vividas, pelos instantes de pura introspecção, por sentimentos gerados pelo desconhecido. Uma realização marcada por novas amizades, descobertas, aprendizados, pelos momentos que serão lembrados por toda a vida.

PERRENGUES EM VIAGENS, PERRENGUES NA VIDA!

Estava frio naquele dia em Londres. Apesar disso, usava pouca roupa. Sou o tipo de pessoa que não gosta de colocar muitas blusas. Para me esquentar, esfreguei as mãos algumas vezes e as levei em direção ao meu rosto, tentando amenizar a friagem.

Era cedo ainda, mas meu amigo já estava na estação à minha espera. Ele também estava todo encolhido.

— Ainda bem que você chegou, cara! Achei que ia congelar aqui! – esfregando as mãos em movimentos rápidos.

Tínhamos combinado no dia anterior que faríamos a viagem ao País de Gales.

— Combinado é combinado. Sou britânico! Não me atraso de jeito nenhum! – afirmei, dando um cutucão de leve no braço dele.

A estação estava tranquila naquele dia. Compramos as passagens de trem e nos dirigimos à plataforma de embarque.

Seriam duas horas de viagem até Cardiff. Até que o balanço do trem convidava ao cochilo. Mas queríamos conversar. Aliás, achei ótimo. Não consigo dormir em viagens.

Ao descermos do trem, o dia já estava mais aberto. A claridade agora invadia a estação. Contudo, o céu ainda estava turvo, reforçando o inverno do lado de fora.

— Brother, o que você acha de irmos diretamente para o Castelo de Cardiff? – perguntei a meu amigo, enquanto caminhávamos em direção à saída da estação.

— Pode ser! – respondeu. — Ontem pesquisei a respeito do local. É a principal atração turística da cidade.

— Legal, cara! Você sempre me surpreendendo! – brinquei.

Ele sorriu e fez um sinal com o dedo que sempre fazia quando sabia que tinha feito algo bom, e até surpreendente.

— Olhe, Paulo! – virei para onde meu amigo estava com o dedo apontado – A escrita é estranha! – comentou.

— É galês! – completei – Idioma de origem celta.

Ele sorriu.

— Você é inteligente, cara!

Agora, fui eu que sorri.

Enquanto caminhávamos, seguindo o fluxo de pessoas em direção à saída, notamos que dois seguranças cochicharam e o cão que estava ao lado deles ficou agitado.

Pensei que talvez o animal estivesse agitado pela quantidade de pessoas que circulavam. Mas estava enganado.

O cão veio em nossa direção. Paramos. Ele começou a circular meu amigo, farejando-o de um lado e de outro, como se buscasse alguma coisa. Chegou o focinho perto da mochila que ele carregava e deu um latido.

Os seguranças que, até aquele momento, estavam parados, observando a reação do animal, agora caminhavam em nossa direção.

— Por que será que o cão veio até nós? – perguntei a meu amigo, tentando entender o que estava acontecendo.

Percebi que meu amigo estava apreensivo. Algo o incomodava.

— Espero que não seja nada! – sussurrou ele.

— Fique tranquilo, cara! Com certeza, o cão se enganou! – na tentativa de acalmá-lo. — Daqui a pouco, estaremos do lado de fora da estação.

Os dois seguranças se aproximaram. Um deles chamou o cão, que ficou ao seu lado, com as patas traseiras apoiadas no chão.

— Rapaz, tire a mochila das costas e abra – ordenou o outro segurança.

Meu amigo soltou a mochila e a colocou no chão, aberta.

Olhei para meu amigo. Parecia suar, mesmo com todo o frio que fazia. "Será que ele estaria com drogas? Não poderia ser? Se ele tivesse encrencado, eu também estaria. E agora?"
Não podia acreditar no que estava acontecendo. Só podia esperar pelo pior.

É comum passarmos por perrengues em viagens, mas essa situação que vivi com meu amigo em Cardiff me deixou muito apreensivo. Porém, o final dessa história é ainda melhor. Hoje, revendo a situação, posso dizer que foi no país de Gales que uma das melhores histórias aconteceu.

Usando de sua habilidade olfativa, o cão farejador, um pastor alemão, devidamente treinado, foi farejar a mochila, ao ouvir a ordem do policial. Após mais um latido, sentou calmamente à frente do meu amigo. Balançando o rabo, com o focinho erguido e olhar fixo, ele o deletava.

Nesse momento eu já estava congelado, e não era do frio que fazia do lado de fora. Assustado, fiquei estático. Como se fosse um vulcão em erupção, minha mente fervia com os piores pensamentos. Era um misto de nervosismo, de medo e incerteza.

Veio a pergunta do segurança, olhando meu amigo: "Você está com drogas?". Ele, um pouco trêmulo, respondeu: "tenho, senhor! Trago comigo um cigarro e, na sua composição, há 25% de maconha". Eu não estava acreditando naquela cena. Em outro país, abordado por policiais, cão farejador, drogas, pessoas com olhar de julgamento, nada a nosso favor. Era o fim de uma viagem.

Envolto em meus pensamentos, só me dei conta quando ouvi a pergunta do mesmo segurança: "E você, traz algo?". Em uma fração de segundos, baixei a cabeça, olhei para o cão e percebi que, ainda sentado, olhava fixo para o meu amigo. Foi nesse momento que me veio uma irresponsável inspiração: "Não, porque o cachorro não falou nada!", respondi ao policial.

Nossos olhares se cruzaram, o policial estava sério. "Agora ferrou de vez", pensei. Após um breve instante de silêncio, o homem de farda sorriu, para meu alívio: "Boa resposta, garoto!". E passou a mão na cabeça do cachorro, fazendo-lhe carinho como se parabenizasse pelo bom trabalho, entregou-lhe um prêmio em forma de petisco.

Esse fato quebrou o gelo, tornou o momento mais leve, me levando a crer que o acontecido não traria consequências graves. "Vamos até a viatura. Me acompanhe, por favor", falou um dos policiais, conduzindo meu amigo.

Alguns passos atrás, eu conversava com o outro policial, que trazia o cachorro. Falei que morávamos em Londres e estávamos a passeio, que nossa intenção era apenas visitar a cidade.

Chegando à viatura, os policiais demonstraram educação. Fizeram a apreensão do cigarro e, explicando o motivo, aplicaram apenas uma notificação que fora assinada pelo meu amigo. Sem multa, sem prisão, sem maiores complicações. O pior não aconteceu.

Após o fato, os policiais nos surpreenderam positivamente. Com um mapa de Cardiff em mãos, nos deram dicas sobre pontos turísticos a serem visitados e nos indicavam a correta direção. Pedimos desculpas pelo ocorrido, agradecemos, nos despedimos e seguimos. Foi uma viagem rápida, por um lugar de beleza medieval.

Assim como em Cardiff, há acontecimentos que podem se tornar corriqueiros na vida de quem viaja. Atrasos em aeroportos, voos cancelados, problemas com reservas de hospedagem, extravio de bagagens, passeios remarcados, como na viagem que realizei à bela região dos Balcãs.

Depois de ter passado pela Eslovênia, Bósnia e Herzegovina, Montenegro, cheguei à Croácia. Em Dubrovnik, a pérola do Adriático, vivi dias incríveis. Na cidade amuralhada, me diverti e fiz amigos. Mas era chegado o momento de voltar para Zagreb. De lá, partiria para Londres.

O dia amanheceu bonito na capital croata, céu azul, calor. Era a despedida de um país encantador, de litoral maravilhoso, de um povo amigo. Com tudo pronto para ir ao aeroporto, chamei um motorista por aplicativo.

No caminho, pressenti que algo estava errado, ou talvez, de que algo não daria certo. O motorista teve problemas com seu aparelho de telefone e GPS, e o pior, ele não sabia o caminho. Parecia nervoso. "Fique calmo, temos tempo", disse a ele. Mas, na verdade, não tínhamos tanto tempo assim. Estávamos longe do destino.

Só depois de muito errar caminhos e pedir informações a algumas pessoas, avistamos o aeroporto. Aquilo me deu um alento. Com pressa, encontrei o balcão da companhia aérea e, no limite do horário, consegui fazer o *check-in*. Sem perder tempo, fui para a sala de embarque.

No entanto, percebi que os painéis de informações davam conta de que o voo para Londres estava atrasado. Avistei a aeronave parada na pista. Parecia estar pronta para o embarque. Sem entender o que estava acontecendo, resolvi sentar e aguardar.

"Senhoras e senhores, bom dia! Informamos que a British Airways teve uma queda global em seus sistemas e isso nos impossibilita de voar. Pedimos desculpas. Nosso voo está cancelado!", confirmou o comandante da aeronave, no sistema de som da sala de embarque, após três horas de espera.

A indignação tomou conta e o inconformismo também. Muitos que estavam ali tinham sérios compromissos marcados. Começou o barulho, vai e vem, tumulto de pessoas nervosas e exaltadas. Para tentar acalmar os ânimos, os atendentes se prontificaram a alocar, se possível, os casos mais urgentes em lugares disponíveis em voos de outras companhias aéreas.

Eu fiz parte de um grupo de aproximadamente 35 pessoas que decidiram aceitar a oferta para ficar mais um dia em Zagreb. A British nos hospedou em um hotel 5 estrelas luxuoso. O jantar foi regado por bebidas caras e pratos assinados por *chefs* de cozinha, momento em que o grupo criou um laço de amizade.

Ficamos sabendo, logo após o jantar, que o problema dos sistemas fora corrigido e que, no dia seguinte, pela manhã, seríamos levados ao aeroporto para o embarque.

Para espanto de todos, ao chegar ao aeroporto, percebemos que o voo estava novamente cancelado e, o pior, não conseguíamos nenhuma informação concreta do que estava acontecendo.

Quase duas horas passaram, o grupo já estava estressado. Indignada, uma inglesa resolveu fazer um cartaz com os dizeres: "Abandonados pela British Airways". Ao ver aquilo, todos reunidos, cansados, o cartaz e muitas malas no chão, eu tive uma ideia: "Vamos fazer uma foto para registrar este momento?".

Fizemos a foto e ainda demos risada da situação. "Eu vou colocar a foto no Twitter e dar um *tag*, vou marcar a BBC de Londres", falei em tom de brincadeira. "Isso mesmo!", exclamou outra inglesa. E com o apoio dos demais, publiquei.

Para a minha surpresa e de todos, após meia hora da publicação, uma jornalista da BBC, por mensagem, me perguntou se eu poderia dar uma entrevista, via Twitter, falando sobre a nossa situação na Croácia. "Não pode ser verdade!", falei olhando para o grupo. "Fala com ela, explica nossa situação", respondeu uma das pessoas do grupo. Sem ainda acreditar, relatei o que havia acontecido. Naquele momento, eu era o entrevistado da BBC.

Ainda no aeroporto, tomando café com os demais, assisti pela TV a meu relato, que passava pelo rodapé das imagens da BBC, ao vivo, fazendo a cobertura dos problemas causados pela companhia ao redor do mundo. Foi quando recebemos a excelente notícia que nosso voo fora remarcado e estava confirmado. Voamos para Londres e, ainda, vivemos uma boa história.

São essas experiências que levam ao empoderamento pessoal, a se adaptar mais facilmente, a querer sempre mais, que tornam tudo mais interessante. Quem viaja se mantém matriculado na escola do desconhecido.

A viagem não é uma ciência exata. Não há fórmulas que levam à certeza. As dificuldades e os imprevistos podem surgir a qualquer momento. Conforme superamos estes desafios que se impõem, ficamos mais fortes, confiantes, preparados. É assim nas viagens, é assim na vida.

Falando em vida! Quando eu tinha 9 anos de idade, na plena infância, tive que passar a conviver com fatos entristecedores. Minha mãe descobriu uma terrível doença e, sem perder tempo, começou o tratamento de um câncer. Para piorar ainda mais a situação, a mãe dela, minha avó, descobriu a mesma doença, logo em seguida. Atualmente, mesmo com a evolução da medicina, essa doença é complexa, difícil de ser tratada, imagina no início dos anos 90.

Era uma criança ativa, que levava a sério os estudos e que sempre brincava no tempo livre com os amigos. Sofrer não era uma escolha, era um sentimento inevitável que se impunha com toda aquela situação. Ver a mãe e a avó, juntas, fazendo tratamento, padecendo dia a dia, num quadro incerto de melhoras e pioras constantes, lutando pela vida, era de cortar o coração.

A vida tentando derrubar, e elas a todo instante querendo levantar. Nunca se entregaram. Na torcida pela recuperação plena, e às vezes sem saber ao certo a gravidade de algumas situações, me restava dar amor e carinho. Foram dias difíceis, muito difíceis!

De maneira galopante, numa rapidez impensável, com requintes de crueldade, o mundo me atingiu em cheio. "Morreu!", exclamou meu avô, em voz alta, incrédulo, ao atender a ligação na sala. Naquele momento eu perdia o chão, perdia o rumo, recebia a notícia mais triste da minha vida. Minha mãe, uma jovem com apenas 37 anos, me deixava, aos 10. Era o cordão umbilical sendo definitivamente cortado. Arrancado, na verdade, da forma mais cruel. Uma história curta, sem final feliz.

A avó, adoecida, se transformava na minha segunda mãe. Mas o cenário também não era bom. Pouco tempo depois, partiu. Como se fosse hoje, a viva e triste memória me faz lembrar as duas, saindo de casa pela manhã com fortes dores. Foram para nunca mais voltar.

A vida é assim. Nem sempre há lógica, muitas vezes, sequer há explicações. Aos poucos o mundo foi levando, me tirando, me machucando. Assim aconteceu posteriormente com meu querido avô materno, meus amáveis avós paternos, outros parentes e amigos.

Mas a vida continuaria a pregar peças. O pior ainda estava por vir, aliás, o que mais poderia ser pior? Acostumado com tantos golpes, em meio a diversas perdas e tristezas, perdi a noção do significado, do sentido dessa palavra.

No final do ano de 2011, meu pai fez um transplante de fígado. Os exames indicavam suspeita de doença grave e outras complicações. Decidiu por esse procedimento, acreditou ser a melhor opção. Mais um bom motivo para se preocupar, mais uma luta seria travada.

Transcorreu tudo bem na cirurgia. Teve alta, foi para casa, tudo corria bem até o dia em que começou a sentir-se mal. Não estava normal. Precisou ser internado novamente, mais um motivo para muita preocupação.

É difícil ver alguém sofrer, um ente querido então. Diversos problemas foram aparecendo dia após dia. Não havia espaço para melhoras, não havia motivos para comemorar. Ele sofria, mas não se permitia demonstrar. Aliás, todos sofriam, sua esposa, meu irmão, todos os parentes. Ele foi guerreiro, sempre otimista, lutou bravamente.

Eu tinha fé, rezava. Mas na minha frente existia um quadro clínico. Não era dos melhores. Era a razão que falava. A cada dia que passava, um pouco dele ia embora. Difícil aceitar, mas essa era a percepção. "Junior, teu pai acaba de ser entubado, venha até o hospital", falou aos prantos, minha madrasta ao telefone. Ele seria internado na unidade de terapia intensiva.

Saí às pressas do trabalho, recebi o apoio e o carinho dos colegas que acompanhavam a situação. Entrei no carro, peguei a estrada.

Foram os 60 quilômetros mais distantes, mais demorados, os piores da minha vida.

Ao chegar ao hospital, o pressentimento não era bom. Na noite anterior, a pedido dele, estávamos eu, meu irmão e minha madrasta. Ele estava bem, falante, sorridente, como nunca por aqueles dias. Não poderia ser verdade.

Entrei no quarto, seria melhor se não tivesse entrado. O que vi, não gostaria de ter visto. Aqui me reservo, pois prefiro não descrever a imagem que até hoje está viva, muito viva em minha memória.

Na UTI, as visitas foram marcadas por todos os pressentimentos e sentimentos possíveis e imagináveis. Mas certeza mesmo eu tive, naquele dia, ao vê-lo sendo retirado do quarto. Eu sabia que ele ia, para também nunca mais voltar.

O ano de 2012 seria marcante, seria lembrado pelo dia que o mundo levava o último dos meus. Se não bastasse, as coisas poderiam piorar. E como o mesmo mundo tem uma capacidade absurda de continuar a surpreender negativamente, eu passaria por outro perrengue, ainda maior.

Passados quase dois meses do triste fato, em um dia normal de trabalho no banco, tive a sensação de estar enfartando. Teclava uma proposta de crédito para um cliente quando senti uma dor forte no peito, que crescia com uma dormência no braço esquerdo.

Fui levado imediatamente ao hospital por um amigo. Chegando lá, a pressão estava nas alturas, fui sedado e controlado pela equipe médica. Após exames, nada foi detectado. "Isso é uma carga de estresse", disse o médico, prescrevendo uma medicação e orientando descanso.

Não parecia ser apenas estresse. Essa sensação se repetiu por diversas vezes, mas a pior delas foi quando, também trabalhando, senti uma forte dormência na cabeça, sensação horrível, parecia ser um AVC, acidente vascular cerebral.

Novamente, fui levado ao hospital. O médico aferiu uma pressão arterial altíssima, 25 por 20. "Não era para você estar mais aqui!", disse o médico, assustado. "Já que estou, cuida de mim, por favor!", olhei para ele, com dificuldade; não conseguia falar direito, já que estava com um remédio sublingual.

Após vários exames que indicavam estar tudo normal, após tentativas com os mais diversos tipos de medicações, constantes visitas a médicos, enfim eu descobriria a síndrome do pânico. Era a ansiedade, o medo de morrer e de perder mais pessoas, era o meu corpo sentindo o mais duro golpe, de uma mente que há anos sofria em silêncio.

Estava vivendo um verdadeiro inferno pessoal, de cotidiano turbulento, de energia pesada. Meus pensamentos levavam à morte. Nada, absolutamente nada dava certo! Mas se ainda há vida, há esperança, e das poucas forças que restavam, surgiu uma inexplicável vontade de viajar.

"*Cabrón*, que bom te ver novamente!", falou um amigo mexicano, me abraçando, assim que desembarquei na Cidade do México. Rever um colega que estudou comigo em Londres, estar em outro país, falar outro idioma, curtir novamente uma viagem poderia ser um bom ansiolítico, talvez o melhor remédio naquele momento.

O país dos *mariachis* reservou boas surpresas. Na cidade do México, me hospedei em casa de amigos locais, visitei pontos turísticos, fui a estádios de futebol, museus, festas e aproveitei para saborear a gastronomia típica. A comida mexicana é boa demais!

Mas foi em Guadalajara que uma boa história aconteceu. "Paulo, estou te convidando para irmos a uma apresentação, um tributo aos Beatles no Teatro Degollado. Depois disso, vamos para as festas!", um amigo falou, por telefone.

Esse amigo eu conheci em uma viagem à França, não apenas ele, vários outros mexicanos. Que povo amigável! Eles se parecem muito com os brasileiros. Na hora combinada, na praça central de Guadalajara, em frente ao teatro, nos reencontramos. "Vamos entrar", falou o irmão do meu amigo, que me fora apresentado naquele momento. Já havia uma fila de espera, muitas pessoas, todas muito bem trajadas. Faltavam aproximadamente 45 minutos para o início do espetáculo.

Sem pegar fila alguma, sem portar nenhum tipo de ingresso ou credencial, sem entender o que realmente estava acontecendo e seguindo os passos do meu amigo e seu irmão, entramos no teatro. O edifício era incrível, realmente bonito, de arquitetura neoclássica, de interior imponente e deslumbrante.

Após passar por alguns setores, ser apresentado e cumprimentar algumas pessoas, chegamos a um mezanino. Deparei-me com um espaço diferenciado, que parecia ser exclusivo, um camarote luxuoso, digno de autoridades. "Paulo, seja bem-vindo ao camarote do governador!", falou o irmão do meu amigo, expressando naquele momento alegria. Ele trabalhava para o governo de Jalisco, um estado mexicano.

Como a vida é cheia de surpresas. Jamais poderia imaginar que assistiria a uma apresentação em um teatro na cidade de Guadalajara, muito menos do camarote do governador. Com um coquetel delicioso, regado por champanhe, assistimos ao tributo aos Beatles. Emocionante! Há coisas que só acontecem viajando.

Não bastasse ter curtido dias maravilhosos com grandes amigos durante duas semanas, ainda me faltava conhecer Cancún. Fiquei por lá mais 6 dias, nessa parte americanizada do México. Hospedei-me num gigantesco e movimentado *resort*. Curti a praia, amigos, mergulhei nas ilhas de Cozumel e Isla Mujeres. Fiz um passeio até as ruínas maias de Chichén Itzá, uma das maravilhas do mundo moderno. As noites e madrugadas eram reservadas para as mais badaladas festas desse lugar vibrante, onde o mundo parece ser mais jovem, respira agitação, pulsa 24 horas.

Era chegada a hora de voltar para casa. A viagem ao México me proporcionou um período de alívio, durante o turbulento ano.

No avião, um momento para uma importante reflexão. O assento desconfortável e apertado, mais parecia um divã. Eu e minha consciência na busca por respostas.

Qual seria a explicação plausível para justificar o fato de estar em outro país, durante aproximadamente 20 dias, vivenciando outros costumes, longe do ninho familiar, da fortaleza que me protege e não ficar doente? Sem ansiedade, sem medo de morrer, sem crises de pânico, sequer a pressão arterial mexer os ponteiros?

Após muito refletir, uma resposta se apresentava como a mais aceitável para tanto questionamento. Viajar se transformava na melhor terapia da minha vida. A viagem terapia. O tratamento ideal. Encontrado graças ao pouco de esperança que ainda restava no pior momento. Só possível porque ainda havia forças, porque ainda havia vida.

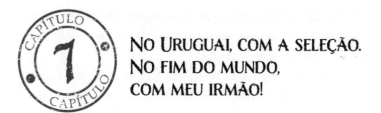

NO URUGUAI, COM A SELEÇÃO. NO FIM DO MUNDO, COM MEU IRMÃO!

Assim que desci do táxi, vi uma imensidão de concreto. No alto, em letras garrafais ESTÁDIO CENTENÁRIO. Ao lado, em uma parede colorida, desenhos se alternavam, um diferente do outro.

Chegava ao palco da final da primeira Copa do Mundo. Para um amante de futebol, era um mergulho na história do esporte mais popular do planeta.

Na porta de entrada, o nome "Museo Del Fútbol".

— Boa tarde! Gostaria de visitar o museu – falei a um senhor que estava sentado atrás de um pequeno balcão.

— Boa tarde, amigo! O museu fechará para o público daqui a 5 minutos – respondeu.

— Mas na porta de entrada a informação é que o museu fechará daqui a duas horas – retruquei.

— Infelizmente hoje, excepcionalmente, fecharemos antes – reforçou o atendente.

Eu não teria outra oportunidade, nessa viagem, para visitar o museu. Então, resolvi dar a última cartada.

— Desculpe insistir, mas acabei de chegar do Brasil para a partida de amanhã. Sou um apaixonado por futebol, gostaria muito de visitar esse lugar. Aqui é um templo desse esporte. Por favor, permita a minha entrada – supliquei.

Não havia ninguém no museu, nem sequer movimento do lado de fora. Ele então se levantou e, com algumas chaves na mão, foi em direção à porta.

— Ok, jovem, mesmo fechado, terei que cumprir meu horário. Você poderá visitar o museu e acessar o estádio, por no máximo uma hora – falou o senhor, trancando as portas de entrada.
— Obrigado! Não sei como agradecer – falei, na maior felicidade.
— Apenas pague o ingresso e desfrute a nossa história. Gosto do futebol brasileiro, mas amanhã o Uruguai vai ganhar! – falou em tom amistoso.
— Vai ser um jogão, mas vai dar Brasil! – sorri, agradecendo-o mais uma vez.

De fato, a visita foi um mergulho na história do futebol. Mas o que estava por vir, logo após minha saída do museu, mudaria toda a prosa dessa viagem.

A experiência de visitar o museu, mesmo que por alguns minutos, trouxe-me a certeza de que não devemos desistir de algo que desejamos. Desde que nasci, ou melhor, desde que me entendo por gente, escuto a seguinte frase: "você nasceu para ser feliz!". Apesar dessa sentença sugerir uma imposição social, torna-se o maior objetivo de nossas vidas.

Só há um problema. Embora muitos tenham tentado, e atualmente, alguns ainda tentam, nunca a sociedade me apresentou uma fórmula concreta ou um único caminho que leve até a felicidade. Insistem em razões, dicas, passos, mas a realidade é por vezes cruel e o mundo, que tem forte capacidade de nos decepcionar, coloca sempre todas as alternativas em cheque.

Na minha fórmula pessoal de felicidade, alguns fatores são importantes. Minha crença em Deus, minha família, meus amigos, meus sonhos e minhas paixões. Falando em paixões, duas são especiais. Elas me sacodem, dão energia, alteram meu comportamento, mexem com o emocional, dão sentido à vida. Quando juntas, me levam ao êxtase, resultam em satisfação plena, em alegria. Estou falando de viagens e futebol.

Essas paixões foram o ponto de partida, a motivação necessária para a realização de uma viagem até o Uruguai. A Seleção Brasileira de Futebol jogaria na capital uruguaia, uma partida pelas eliminatórias da

Copa do Mundo da Rússia, contra os donos da casa. Esse fato seria o responsável por uma grande aventura.

A história tem seu início já no avião que peguei na cidade de Florianópolis. Durante o voo, assistia a um programa de esportes com um *link* ao vivo, diretamente do Estádio Centenário, local onde a partida seria realizada. "Quando chegar, vou direto para o estádio", pensei. E foi isso que aconteceu. Do aeroporto, peguei um táxi. Chegando ao hotel, fiz meu *check-in*, larguei a mochila e, portando apenas o passaporte, carteira e meu *smartphone* me dirigi para lá.

A partida aconteceria apenas no dia seguinte. Os ingressos estavam praticamente esgotados. O meu fora garantido ainda no Brasil, por uma senhora amiga, que mora em uma cidade vizinha, mas que tem negócios em Montevidéu.

Ao chegar ao Centenário, resolvi que deveria conhecer o museu que há nas suas dependências. O Museo Del Fútbol é pequeno, mas possui um acervo superinteressante. Nesse local, a história da seleção do Uruguai, primeira campeã mundial, ganha proporções que remetem a 1930, ano que seria marcado pela realização do primeiro mundial de seleções da história do futebol.

Após visitar o museu, fiz um *tour* por dentro do estádio. Não havia ninguém. Um gigante adormecido, em meio ao silêncio que se fazia presente. Era possível ouvir apenas o canto dos quero-queros, que ecoava no vazio. Caminhei lentamente pelas antigas arquibancadas, sentei para desfrutar o momento. Fui até o campo, toquei a grama, fiz fotos.

Era fim da tarde quando deixei a parte interna do estádio. Tive o pressentimento que deveria permanecer por ali. Resolvi fazer uma caminhada pelos arredores. Do outro lado, próximo aos portões de entrada da imprensa, encontrei dois rapazes brasileiros que estavam a trabalho para uma marca esportiva patrocinadora da nossa seleção.

De repente, um senhor interrompeu a conversa, cumprimentando-nos com um boa-tarde ao sair de um táxi que parou na nossa frente. Era um comentarista famoso da crônica esportiva brasileira. "Vai ter alguma coisa no estádio?", perguntei, despretensiosamente. "Sim, a Seleção Brasileira fará logo mais um treino de reconhecimento do gramado", replicou.

A notícia mexeu comigo, os ânimos ficaram à flor da pele. Então, arrisquei uma pergunta: "Será que é possível entrar para assistir ao treino?". Foi então que a inesperada resposta marcaria o começo de uma histórica aventura, repleta de muita emoção. "Olha, geralmente, nesse tipo de treino o técnico não libera o acesso para os torcedores. Mas, vamos lá, entra comigo!", respondeu o comentarista.

Por um corredor que dava acesso a algumas salas de imprensa, era possível avistar parte do gramado esverdeado. Em seguida, o primeiro momento de apreensão. Um assessor da CBF, Confederação Brasileira de Futebol, que estava na porta de umas dessas salas, chamou o comentarista. Aproveitando a oportunidade, agradeci ao homem, quase sussurrando em seu ouvido. Ele foi ao encontro daquele que o chamava. Sem parar, educadamente cumprimentei o assessor e, apertando os passos, segui em direção às arquibancadas.

O sol perdia forças em meio a algumas nuvens. Sem acreditar ainda no que acontecia, estando sozinho nas arquibancadas, tomei assento. Naquele momento, a ideia era não chamar a atenção, nada de ficar zanzando de um lado para o outro, pois poderia ser descoberto.

Uma equipe de TV composta por dois câmeras e um repórter dava sinais que vinha em minha direção. "Não acredito que estão vindo para cá", pensei. E por mais incrível que possa parecer, dispondo de muito espaço, eles iniciaram a montagem dos equipamentos ao meu lado.

Virando-se em minha direção, um dos membros da equipe me cumprimentou e perguntou para qual veículo de imprensa eu trabalhava. Respondi que era apenas um torcedor. Em seguida, lancei a pergunta: "Tem algum problema se eu ficar por aqui, com vocês?". Ele me respondeu que não.

Isso me trouxe alívio e me deu liberdade para iniciar uma conversa. Após uns quinze minutos de bate-papo sobre futebol, faltando aproximadamente meia hora para o início do treino, fui surpreendido novamente. Sentaram-se ao meu lado os comentaristas esportivos Paulo César Vasconcellos, Muricy Ramalho, ex-técnico de futebol, Casagrande, ex-jogador, Milton Leite, narrador, Fernando Fernandes, repórter, enfim profissionais de todas as áreas e emissoras. Acompanho-os quase que diariamente em jogos, programas de rádio e TV.

Muricy Ramalho foi o primeiro a me dirigir a palavra, perguntando meu nome. Eu me apresentei, inclusive como torcedor e que vinha de Camboriú, Santa Catarina. E acrescentei: "Estou infiltrado no meio da imprensa!". Mesmo achando graça da situação, fui cumprimentado por cada um que ali estava. "Fique conosco. Agora você também faz parte do nosso time", comentou Muricy. Aproveitei a oportunidade e, por alguns minutos, conversamos sobre futebol.

Aos poucos foram chegando mais personagens conhecidos do mundo esportivo. Repórteres de campo, apresentadores, outros comentaristas. Profissionais de todas as emissoras formaram um grande grupo ao meu redor. Unidos de forma amistosa, discutiam sobre o importante jogo da seleção que aconteceria no dia seguinte.

Até com o Galvão Bueno, o maior narrador esportivo do Brasil, conversei rapidamente e registrei o momento com uma foto. Foi incrível estar no meio deles. Todos foram cordiais, educados e simpáticos. Na verdade, estava tendo uma aula de futebol ao conviver, ao ouvir e os ver trabalhar.

O relógio marcava 18h quando a Seleção Canarinho entrou em campo, com seus craques e comissão técnica para iniciar os treinamentos. Atento, sem perder nenhum lance, acompanhei e registrei tudo, bem de pertinho. Não se tratava de qualquer time, era a Seleção Brasileira, no aquecimento, correndo, batendo bola. Os principais jogadores desfilando em campo, bem à frente dos meus olhos.

Era possível ouvir os gritos e palmas do técnico, que ecoavam no vazio do colossal estádio. Ele cobrava perfeição no ensaio das jogadas. Participei intensamente de tudo, sem ser notado. Era o único no local a não possuir nenhum tipo de identificação, já que cada profissional, para estar ali, portava no pescoço, um destacado crachá.

Após 45 minutos de treino, de ficar em pé, de tanto andar de um lado para o outro, para não perder nenhum detalhe do trabalho da imprensa e do treino, resolvi sentar para descansar as pernas. Já não estava tão preocupado, mas um fato engraçado aconteceria e traria uma pitada de tensão. Um jovem rapaz se aproximou e perguntou se eu trabalhava para a Rádio Carioca. Ele vestia um agasalho verde da seleção. Seu crachá o identificava como assessor da CBF.

Demonstrando surpresa ao ouvir a pergunta, devolvi um não, convicto de que seria reconhecido como torcedor. No entanto, ele agradeceu e saiu apressado. Talvez ele tivesse pressa em encontrar o tal profissional. Eu agradeci também. "Ufa, não fui descoberto!", pensei. Em alguns momentos, menos é mais. Respondi à pergunta de forma objetiva, falando apenas a verdade. Eu realmente não trabalhava para a tal rádio.

O treino se aproximava do fim. Já estava no lucro, começava a me preparar para deixar o estádio. Mas ouvi: "Paulo, você não gostaria de acompanhar a entrevista do treinador, na sala de imprensa?", convidou um repórter da TV. Não querendo abusar da sorte, agradeci ao repórter: "Amigo, obrigado! Vou voltar para o hotel. O que eu vivi hoje, nesse estádio, junto a vocês, foi o suficiente para ficar marcado para o resto da vida!".

No dia seguinte, vestido com a tradicional e respeitada camisa amarela da Seleção Brasileira, me dirigi, horas antes, ao estádio. Nas proximidades do Centenário, muitas ruas estavam fechadas por questão de segurança. Precisei caminhar centenas de metros, em meio à multidão azul, que vibrante e orgulhosa, cantava feliz. De maneira exemplar, os uruguaios me trataram com respeito. Parei, fiz fotos, me diverti, conversei, fiz amigos. É bom demais sentir a atmosfera mágica em dias de jogos.

O estádio estava lotado, um mar de camisas azuis, lindo de se ver. Ao chegar ao espaço reservado aos torcedores brasileiros, encontrei alguns amigos da minha cidade. Junto a nossa torcida, festejei a vitória do Brasil, por 4x1, de virada. Esse importante resultado deixou a vaga para o mundial da Rússia bastante encaminhada.

O Uruguai ainda reservaria bons momentos. Os passeios por Montevidéu, a visita para conhecer a famosa Casapueblo, bem como a passagem pelo luxuoso balneário de Punta Del Este, marcariam o fim de uma viagem rápida, mas de experiências memoráveis.

O esporte sempre esteve presente em minha vida. Responsável por uma série de benefícios, assim como as viagens, traz saúde, autoconfiança, me mantém ativo. O futebol é o primeiro da lista, depois, os esportes radicais. Costumo dizer que o acesso, em qualquer circunstância, gera conhecimento, descobertas, sensações. Tendo vivido, outrora, uma marcante experiência na neve, percebi uma vontade, talvez necessidade de voltar a praticar o *snowboarding*.

Era um sábado à tarde quando a ideia surgiu, me deixando completamente agitado. Contei a meu irmão. "Se a mãe deixar, posso ir contigo?", perguntou, acompanhando todos os meus movimentos. "Claro que sim!", respondi a ele. "E diga a ela que nós vamos para o fim do mundo!", completei, com entusiasmo.

Diante da pergunta que ele me fez: "Onde fica isso?", saí da cozinha, fui até meu quarto e peguei o globo terrestre e apontei no mapa: "Fica aqui. Ushuaia, na Argentina!". Agora, dentro de casa, eram dois agitados com a possível viagem. Mas faltava um detalhe importante: o consentimento, o sim da minha madrasta, a mãe dele.

Quando ela chegou em casa, meu irmão foi logo falando a novidade. Um bombardeio de informações. De pronto, ela sequer acreditou na possibilidade e disse: "Vocês estão malucos!". Após conversas e esclarecimentos, ela decidiu pagar a viagem para ele. Agora eram três, em casa, agitados e ansiosos, à espera da viagem.

Seriam três voos até o destino, com escalas cansativas e demoradas. A distância de tempo entre um voo e outro nos dava a nítida impressão de que realmente iríamos até o fim do mundo. Desde a saída de casa, era possível perceber os sentimentos aflorados em meu irmão. Sabia exatamente o que sentia, o que passava em sua cabeça. Sempre me coloco na posição de quem viaja comigo.

Apesar da agitação, os voos foram tranquilos. Tivemos tempo suficiente para conversar e fazer alguns planos para aproveitar melhor o destino. Mas foi ao final do último voo, próximo de aterrissar no pequeno aeroporto de Ushuaia, que algo extraordinário nos chamou a atenção. A aeronave parecia passar lentamente próxima ao cume nevado das imponentes montanhas que formam a espetacular Cordilheira dos Andes. Toda aquela formação, o céu, as nuvens, o canal logo abaixo eram um convite à contemplação.

Fazia frio lá fora. Era fim da tarde. Após sair pela porta do avião, a primeira imagem fez jus ao conhecido nome que é dado àquela província: "Terra do Fogo". O céu em tons laranja e vermelho parecia em chamas. O pôr do sol desenhava um horizonte inigualável, descerrado entre as montanhas esbranquiçadas. Era o prelúdio do que estava por vir.

Chegamos ao hotel, uma construção rústica e simples, localizada aos pés da cordilheira, tomada pela neve. Muito aconchegante, nos oferecia uma perspectiva agradável de cada cômodo de suas dependências. Aliás, a neve e o frio foram companheiros em todos os momentos. A começar por um *tour* pela cidade portuária, onde à noite jantamos a saborosa "centolla". Uma espécie de caranguejo gigante, de preço não convidativo.

Boas aventuras aconteceram nos centros invernais. O passeio na famosa *snowmobile*, a moto feita para andar na neve. As pesadas caminhadas pelos bosques, os bonecos de neve, as brincadeiras no gelo, por instantes nos devolveu a infância.

Apesar de rápida, tivemos também uma ótima experiência ao andar em um trenó puxado por cachorros. Meu irmão sentou-se à frente do trenó. Em pé, me posicionei atrás, segurando firme na barra de apoio. A nossa frente, doze amigáveis *huskies* siberianos, raça dócil, de beleza rara, alinhados em duplas, aguardavam o comando das rédeas.

Cena de filme. O vento no rosto provocado pela velocidade do trenó. A corrida dos cães, fortes e preparados. O cenário pitoresco que misturava o azul do céu, o branco da neve, o verde das árvores. Tudo isso formou o pano de fundo perfeito que tornou nossa experiência divertida.

A principal aventura ainda estava por vir. À medida que se aproximava, despertava em mim desejo; em meu irmão, curiosidade. No dia seguinte subiríamos as montanhas para esquiar. Chegava o momento de reencontrar uma paixão.

"Vou descer a montanha com uma prancha de *snowboard*. E você?", instiguei meu irmão, tentando saber se tinha ideia por onde começar. Nós estávamos no local onde se aluga, escolhe e se prova os equipamentos. Intimidado, ele disse que pegaria os esquis, por achar que seria mais fácil.

Senti-me um veterano dando algumas dicas para ele. Havia praticado o esporte no Chile, tinha uma base. As roupas, os acessórios, os equipamentos já não eram novidade. Conhecia a técnica, alguns movimentos, sem falar dos mais diversos tipos de tombos, que constavam em meu currículo.

"Nossa que emoção!". Sentava novamente em um teleférico, os famosos *lifts* que, mecanicamente, nos levam lentamente para as partes altas das montanhas. Mais uma vez, subia em uma prancha de *snowboard*, vestia e usava os equipamentos de segurança.

O ambiente das estações de esqui me levou à reflexão, a fazer uma oração de agradecimento. De cima, ao contemplar a beleza do lugar

tive a certeza, mais uma vez, de ser um privilegiado. Confiante, me arriscava em pistas um pouco mais íngremes, de nível mais elevado. Sentia-me bem, estava feliz por estar na neve, revivendo as boas sensações que havia sentido no Valle Nevado, no Chile. Incansável, eu só queria continuar deslizando pelas montanhas.

Vi meu irmão cair um tombo. Aproximei-me. Ofegante, ele se sentou. Tirou os óculos escuros, levou um punhado de neve à boca. Eu já tinha visto a cena antes, não se tratava de um *déjà vu*. Aconteceu igual comigo. Perguntei a ele se estava bem. "É muito difícil. Mas o lugar é lindo! Agora preciso de um chocolate quente!", exclamou ele, com um acanhado sorriso.

Os cafés da manhã, as longas caminhadas pela cidade, os centros invernais, os passeios, o contato com a neve, o frio, e a paisagem espetacular tornaram nossos dias felizes. Na última noite, no hotel, ao redor da lareira, as vivas lembranças nos remetiam aos momentos que compartilhamos.

Era chegada a hora de voltar para casa. No aeroporto, uma forte nevasca. "Se continuar assim, o voo pode ser cancelado", disse ao meu irmão. Fizemos o *check-in*, despachamos as malas e fomos para a sala de embarque. Mesmo distante era possível escutar o assobio forte do vento.

Apreensivo, meu irmão perguntou se íamos voar com aquele tempo do jeito que estava. Respondi que talvez fôssemos assim mesmo. Percebi que não acessaríamos a aeronave pelo *finger*, aquele equipamento, um corredor protegido que faz a ligação entre a sala de embarque e o avião. Após a checagem da passagem e passaporte, saímos no tempo, em direção à aeronave. Fazia muito frio, a nevasca estava muito forte.

Dentro do avião, tudo parecia normal. "Tripulação, portas em automático", ordenou o comandante, no sistema de comunicação. O vento lá fora parecia estar mais forte, assim como a neve. As turbinas foram acionadas. Iniciaram os procedimentos de segurança.

Durante o lento taxiamento, percebi uma movimentação diferente dos comissários. A todo momento, eles olhavam para as asas do avião e por gestos se comunicavam. Parecia que algo estava errado.

"Será que vai decolar?", cochichou meu irmão ao meu ouvido. Olhei para ele, estava com a feição contraída pelo medo. "Calma! O avião só decola em condições de segurança!", demonstrei confiança. Mas, na verdade, também estava preocupado. Dois comissários ainda checavam as asas. Estávamos sem entender o que acontecia.

O piloto alinhou a aeronave na pista, os comissários tomaram seus assentos. Olhei pela janela, estava escuro. A tempestade de neve caía lá fora. O silêncio predominava no ambiente. Meu irmão, com a cabeça baixa, iniciava sua oração. "Decolagem autorizada", falou o comandante. Os motores ganharam potência.

Após uma forte turbulência inicial, o avião ganhou estabilidade. "Graças a Deus!", suspirou meu irmão. Eu também suspirei aliviado. Durante o voo, descobri que os comissários olhavam as asas para se certificar de que o produto colocado para o degelo da fuselagem estava fazendo efeito.

Era o fim de mais uma viagem. Na bagagem de volta, novas histórias, sensações, experiências, realizações. Movido pelas minhas paixões, pude provar mais uma vez o gostinho doce da felicidade.

Deixe seus sonhos e suas paixões guiarem você também!

UMA VIAGEM PRA LÁ DE MARRAQUEXE!

Era meio da tarde, caminhava tranquilamente pela Velha Medina, a parte mais antiga, murada, bagunçada, da cidade de Casablanca. Uma oportunidade de vivenciar o cotidiano dos Marroquinos.

— Bem-vindo amigo, de onde você é? – *abordou-me um jovem, em uma barraca de iguarias.*

— Sou brasileiro – *respondi.*

— Oh Brasil! Pelé, Ronaldinho, samba! Não gostaria de experimentar nosso tajine? – *falou o rapaz, me oferecendo uma pequena amostra do típico prato.*

Agradeci a oferta, explicando que acabara de almoçar.

Continuei a caminhada. Pelas ruelas, motonetas passam aceleradas e buzinando. O povo local, vestindo roupas tradicionais, faz suas compras.

— Boa tarde jovem, qual seu nome? – *perguntou um senhor, numa mistura de espanhol e português, interrompendo as minhas andanças.*

— Boa tarde. Me chamo Paulo!

— De qual país nos visita?

— Brasil

O enredo se repetia, como sempre!

— Pelé, Romário, Rio de Janeiro. Eu adoro o Brasil! – *enfatizou.*

O senhor, que vestia a djellaba, tradicional peça comprida, com mangas largas, na cor marrom, dava mostras de ser um hábil mercador.

— Vamos até minha casa. Quero te mostrar os tapetes que minha família produz. Sem compromisso. Será um prazer recebê-lo! – *convidou-me.*

— *Obrigado pelo convite, mas estou apenas conhecendo o souk, o mercado dentro da Medina. Bom trabalho!* – agradeci.

Segui caminhando.

O Marrocos é um país interessante, de comércio pulsante, onde a barganha e a negociação predominam. Os comerciantes são educados, mas persistentes. É necessário estar atento às armadilhas.

— *Amigo do Brasil, minha casa fica a poucos metros daqui. Gostaria de mostrar meu trabalho. Vamos, me siga* – insistia o senhor caminhando passos atrás, como se me seguisse.

— *Não, obrigado amigão!* – falei olhando para trás, levando na esportiva, mas seguindo em frente.

— *Paulo, brasileiro, aquela é a minha casa. Venha!* – gritou, apontando para o local.

Estava diante de uma situação com certo grau de risco, num local de aspecto perigoso. Mas meu feeling dizia para aceitar a proposta. Era uma residência de aparência simples, parecia segura.

— *Boa tarde, seja bem-vindo! Entre!* – falou uma senhora, ao abrir a porta. Ela era a esposa do comerciante.

— *Boa tarde, com licença!* – respondi, entrando na morada.

Fui levado, pelo casal, até uma grande sala. Lá deparei-me com uma montanha de tapetes empilhados. Havia mais duas pessoas trabalhando na tapeçaria. Uma delas, o filho do casal.

— *Fique à vontade, escolha um tapete!* – falou o comerciante, apresentando diferentes peças, em tamanhos e cores variadas.

Eram verdadeiras obras artesanais, que variavam entre o clássico e o moderno.

— *Qual o preço?* – perguntei.

Um erro a não cometer. A tão esperada pergunta, a frase mágica, abriria uma acirrada negociação. O ritual preferido dos marroquinos.

— *Sente-se, por favor* – sugeriu a esposa dele, apontando para o sofá.

Em seguida, ela serviria chá de menta com broas.

O ato receptivo e o carinho apresentado, de certo modo estratégico, serviram para trazer mais proximidade, segurança, quebrando o gelo.

Sentindo-me tranquilo e confortável com a situação, conversamos por quase uma hora. Falamos de tudo, demos boas risadas. Ao final, após muito barganhar, comprei um lindo tapete, a preço de banana, sessenta por cento abaixo do preço inicial. De fato, eles são mestres, ótimos negociadores, mas pegaram pela frente alguém que também domina a arte da pechincha.

A ida ao país norte-africano se deu ao final de um longo mochilão pela Europa. Seria a última parada, após 90 dias, longe de casa. Sete anos depois de visitar o mundo egípcio, eu teria contato outra vez com uma comunidade muçulmana.

Gosto do mundo islâmico. Tenho alguns amigos e respeito essa cultura de características fortes, peculiares, ocasionalmente restritivas. Eu me sinto confortável no meio desse povo, por vezes discriminado, por ser fortemente submisso à sua crença religiosa e por atos de terrorismo de uma minoria extremista.

Certa vez, estava voltando de Amsterdam, em direção à Inglaterra. Ao chegar na fronteira, todos descemos para realizar o procedimento imigratório. Três colegas de viagem eram muçulmanos, do mundo árabe. Os demais, de outras nacionalidades, inclusive eu, passamos rapidamente pela imigração.

Aguardamos por mais de dez minutos para que um dos três fosse liberado. No ônibus, perguntei a ele o que tinha acontecido, se por ventura portava algum tipo de drogas ou tinha problemas com documentos. A resposta foi objetiva, entristecedora: "É sempre assim, na maioria dos países. Eles acham que somos todos terroristas!".

É algo que não consigo explicar ao certo, mas sinto alguma atração, desejo de conhecer cada vez mais esse tipo de realidade. Sentimento que me levaria ao Marrocos, o então destino escolhido para novas aventuras. Cheguei à maior cidade marroquina, Casablanca, por volta das 21 horas. Hospedei-me em um hotel antigo, simples, com decoração temática, que sequer servia refeições durante a noite.

Era uma terça-feira, tarde da noite. As ruas escuras dos arredores, somadas ao pouco movimento de pessoas, traziam uma sensação de total insegurança. Um convite tentador a ficar pelo hotel. Mas precisava sair para comer algo. A fome aumentava, parecia me corroer por dentro. Eram duas as opções: tentar dormir ou sair em busca de comida.

O espírito aventureiro, mais uma vez, falou mais alto. É sempre assim, não importa o lugar, nem mesmo o horário. Gosto de andar pela cidade. Se desse ouvido ao medo, eu nunca teria saído de casa. Mesmo com a madrugada se aproximando, fazia calor. Vestia uma bermuda, boné, calçava um tênis. Decidi colocar a camisa da Seleção Brasileira, pois ela sempre me ajuda a ser bem recebido, principalmente nos países mais pobres.

Deixei a chave do quarto na recepção do hotel. Pedi informação ao atendente, que não sabia explicar ao certo onde poderia encontrar um lugar para comer àquela hora. Agradeci a tentativa de ajuda e dei início à caminhada. Eram ruas estreitas, alguns becos, estava realmente escuro. Os postes de iluminação pública, com as antigas lâmpadas de vapor de sódio e mercúrio, amareladas, distorcidas, intercalavam-se entre os que estavam com as luzes acesas e queimadas. A atmosfera era assustadora, deixava-me ainda mais alerta.

Foram quadras caminhando. Casas antigas, algumas sem pintura, casebres, grupos de três ou quatros pessoas fumando, de olhar sinistro, conversando nas esquinas. Cachorros e gatos de rua completavam o cenário. Pensava a todo o momento em voltar para o hotel, mas o instinto me fazia seguir. Depois de quase vinte minutos de uma acelerada caminhada, avistei um estabelecimento, presente até nos locais mais inóspitos do mundo, que sempre mata a minha fome, quando já não há opções. Era o Mc Donald´s, de portas abertas, à minha espera.

No dia seguinte, após um típico café da manhã, fui até a grande Mesquita Hassan II, situada na orla. O principal cartão-postal da cidade é uma construção imponente, que avança pelas águas do oceano Atlântico. Impressiona pelo tamanho e pela riqueza de sua arquitetura. Você percebe que está no mundo islâmico, quando se depara com esses templos.

O local é extraordinário, de beleza contagiante. Ao andar pelo enorme pátio, é possível contemplar a grandiosa obra-prima. Essa é a única mesquita do Marrocos a aceitar visitas de pessoas não muçulmanas. Há nisso um significado muito forte. Foi construída com o intuito de unir e acolher todos os povos.

O interior da Mesquita realmente surpreende. As imensas salas de oração, as colunas, o teto de madeira, a decoração em mármore, granito, azulejos, as fontes de purificação, os mosaicos, enfim todos os detalhes da requintada estrutura remetem a um lugar sagrado, de introspecção. A sensação é de paz e harmonia.

O relógio marcava o início da tarde quando decidi deixar o local. Caminhava lentamente, olhando tudo ao meu redor, quando fui surpreendido pelo som alto que vinha do minarete, a torre da mesquita, a mais alta do mundo islâmico. Era o Almuadem, chamando os fiéis à oração. O momento seria marcado por uma cena cinematográfica. Milhares de fiéis caminhavam em silêncio. Um mar de gente que vinha de todos os cantos, de todas as partes, em direção à Mesquita.

A maioria dos homens vestia a habitual túnica, sandálias de couro e turbantes. As mulheres, vestimentas que cobriam todo o corpo. As mais tradicionais, deixavam apenas os olhos à mostra. Crianças e adolescentes também se faziam presentes. A multidão parecia invadir o local, adentrando com serenidade, na maior quietude. Em sinal de respeito, me acomodei, próximo a uma das entradas da mesquita, encostado a uma pilastra, pelo lado de fora.

Acompanhei tudo atentamente, observando cada detalhe, cada movimento, durante todo o tempo, principalmente ao longo das orações. O islamismo, na sua essência, perante os meus olhos. O acontecido me fez refletir sobre a condição humana desse lugar. Pessoas de diferentes raças, idades, condições sociais, unidas em comunhão, tementes, submissas, obedientes, na busca do espiritual. O momento único foi tão envolvente que me senti parte de todo aquele contexto.

Casablanca, a mais populosa cidade marroquina, é um local interessante, cosmopolita, contemporâneo. Ainda mantém preservada parte de sua história e cultura. O lugar que abriu as portas desse país incrível ficaria para trás. No entanto, a viagem pelo Marrocos seguiria.

No dia seguinte, começaria uma inesquecível jornada para a cidade de Marraquexe. Era uma quinta-feira, por volta das seis da manhã, quando cheguei à estação para pegar o trem, que levaria aproximadamente três horas para chegar ao destino.

A viagem foi tranquila, confortável. Pela janela, era possível admirar a típica e inóspita paisagem de terra vermelha que contrastava com o céu azul. Parecia que estava em Marte. Durante o trajeto, passamos por cidades apequenadas pela imensidão do deserto.

Logo na chegada, seria surpreendido pela arquitetura, decoração e beleza da estação de trem, que fica na parte moderna de Marraquexe. Essa conexão com o contemporâneo seria quebrada tão logo chegasse na principal praça Jemaa el-Fna, considerada Patrimônio Cultural Imaterial da Humanidade, pela UNESCO.

A Medina de Marraquexe, a alma da cidade, é um dos lugares mais insanos que já visitei. Um ambiente caótico, apinhado de gente, onde se encontra de tudo. Curandeiros, acrobatas, faquires, saltimbancos, dançarinos e até dentistas, ou quem se diz como tal, podem fazer algum tipo de abordagem. É aqui que a vida social acontece, com animação, em meio a espetáculos, músicas e demais tradições.

As barracas com a gastronomia local também despertam o interesse. Elas vão ganhando mais espaço à medida que o dia avança, principalmente durante a noite, onde a praça se transforma num gigantesco restaurante a céu aberto. Foi em uma dessas barracas que resolvi fazer uma pausa para comer um doce marroquino e beber o melhor suco natural de laranja do mundo. É uma opinião quase que generalizada, não sei por que, mas o suco é bom demais.

Após o lanche, o passeio seria pelo meio do tradicional mercado árabe. Em comparação com o de Casablanca, o *souk* de Marraquexe pode ser elevado à décima potência, em todos os sentidos. Uma confusão de cheiros, sons, movimentos, mediante ao artesanato local, roupas tradicionais, metais, especiarias, joias e produtos falsificados. Os burrinhos e charretes que transportam as mercadorias, pelas ruas estreitas do local, dividem espaço com pessoas de todas as partes do mundo. Uma loucura!

Os comerciantes, como de costume, assediam a todo momento. Até para fazer uma simples foto existe um preço a ser negociado, é claro. A verdadeira escola da barganha. A arte da negociação está no sangue do marroquino. Um ritual bonito de se ver, um jogo de proposta e contraproposta, em que ao final, se a transação for fechada, há apertos de mão e sorrisos. Quando não há êxito nos negócios, sobram cara feia e resmungos.

Como já havia gastado minhas habilidades e artimanhas na compra do tapete em Casablanca, reservei-me a negociar apenas um *souvenir*, como faço em todos os lugares que visito. Mas não faltaram ofertas.

De volta à movimentada praça, os termômetros marcavam um calor infernal, 45ºC. Caminhava lentamente quando mais um chamado foi anunciado em alto tom, pelo minarete da mesquita. Em sinal de respeito, parei exatamente onde me encontrava.

Ao término das orações, percebi que um senhor, vestindo uma túnica de tons claros, gritava, fazendo sinais com uma das mãos. "Olá, amigo, venha aqui!", falava em inglês. Uma distância de uns dez metros nos separava. Algumas pessoas encobriam em partes a visão. "Mais um comerciante querendo oferecer alguma coisa", entendendo a linguagem que expressava por sinais. Não respondi.

"Ei, você, por favor, venha até aqui!", insistia aos gritos, agora em espanhol. Além de exímios negociadores, eles são poliglotas. "Eu", apontando o dedo contra meu peito. "Sim", demonstrando um sorriso. À primeira vista, parecia um comerciante qualquer. Fui ao encontro dele.

Ao me aproximar, descobri que estava enganado. Tratava-se de um encantador de serpentes. "De onde você vem?", perguntou com um inglês arranhado. "Sou do Brasil". Logo após dar a resposta, o senhor, de forma hábil e ágil, colocou em meu pescoço uma víbora que carregava em uma das mãos. Sem poder de reação, estava estático, me sentindo abraçado pelo gelado animal.

"Ronaldinho, Kaká, samba", disse ele, com sorriso aberto, mostrando seus dentes de ouro. O papo é sempre o mesmo. O futebol brasileiro é uma paixão mundial. Dei um sorriso, mas continuava parado. A cobra começava alguns movimentos com a cabeça e com sua língua. Não tenho medo, mas prefiro ter cuidados com animais peçonhentos.

Foi quando outro senhor, com vestes mais escuras, embaixo de uma pequena tenda, começou a tocar uma flauta. A menos de dois metros de distância, uma naja, a quem eles chamam de cobra, dilatando o pescoço, se erguia.

Comecei a ficar preocupado. Nesse momento, meus pensamentos já estavam pra lá de Marraquexe! Estava sem ação, um pouco espantado, com uma serpente inquieta envolta do pescoço e com outra próxima das minhas pernas, em ponto de ataque. "Fique tranquilo, amigo!", falou o encantador, mostrando suas habilidades em frente à naja. Com as mãos, alternando movimentos, ele tentava irritar a cobra, fazendo com que ela o atacasse.

Debaixo da pequena tenda, dezenas de outras serpentes se entrelaçavam. Enquanto isso, eu me virava tentando segurar a víbora. O espetáculo acabaria, assim como meu dinheiro. O que tinha na carteira foi transferido para as mãos do encantador de serpentes, ou também, encantador de turistas. Pela adrenalina, pela cultura secular e pela experiência vivida, valeu cada centavo.

Marraquexe é exótica, mística, um destino excitante. A cor salmão de suas construções vai ganhando intensidade à medida que o dia passa, chegando ao seu auge durante o pôr do sol. A vivacidade e agitação noturna marcariam o fim de mais uma inesquecível passagem por terras marroquinas, pela cultura muçulmana.

Esse país deixou um ensinamento sobre o poder da barganha. Não se trata apenas do valor físico das coisas, mas da satisfação em ver os dois lados felizes após uma boa negociação. É assim em nosso cotidiano, nem sempre podemos ter tudo aquilo que queremos, mas é barganhando algumas coisas em nossas vidas, numa negociação introspectiva, que se poderá ter ou vivenciar outras ainda melhores.

A ENERGIA QUE CADA LUGAR PROPORCIONA

Era dia 8 de julho, terça-feira, fim de tarde. Semifinal da Copa do Mundo de 2014, Brasil e Alemanha.

Na casa de um amigo, tudo preparado. Como sempre, em jogos da seleção, marcamos um churrasco para bebemorar a vitória do Brasil.

As duas seleções chegavam invictas à semifinal. Não teríamos Neymar, que ficou lesionado no jogo contra a Colômbia e Thiago Silva, suspenso por cartões.

— Será um jogo duro! A Alemanha é sempre forte e competitiva! – *comentei.*

— Mesmo desfalcado, nosso time é melhor! – *falou um amigo, subindo as escadas para enfeitar a churrasqueira de verde e amarelo.*

— Que nada! David Luiz, hoje de capitão, vai marcar dois gols – *escutei quando outro amigo respondeu.*

A animação era contagiante. Afinal, todo jogo de seleção é ótima oportunidade para a reunião de amigos.

— 1x0 pro Brasil! – *gritei como palpite de um bolão.*

"Autoriza o árbitro! Começa o jogo no Mineirão". O anúncio do narrador da TV fez com que cada um pegasse uma cadeira e se sentasse em frente à telinha.

— Vamos, Brasil! – *falei em voz alta, batendo palmas, em pé ao fundo, na maior ansiedade.*

— Gol da Alemanha! – *um gritou* – Não acredito!

Eram apenas 10 minutos do primeiro tempo. Aos 22 minutos, segundo gol.
— *Do jeito que estamos jogando, vai ser de goleada! – gritava outro.*
E aí começou: três, quatro, cinco, seis, sete.
— *Cara, que vergonha! – reclamava um.*
Ninguém mais controlava a emoção.
— *"Gol! Do Brasil! O chamado gol de honra da Seleção Brasileira" – Galvão Bueno narrou na TV.*
Para nossa tristeza, o Brasil estava fora, de forma humilhante, da final do mundial.

A goleada sofrida por 7x1 me motivou a escolher o próximo destino. Poucos dias após o término da Copa do Mundo de 2014, que consagrou campeã a seleção alemã de futebol, eu desembarcava no aeroporto Tegel, em Berlim. Muitas eram as expectativas. Afinal de contas, a capital alemã foi cenário de guerras, brigas ideológicas, confrontos e acontecimentos que marcaram uma época triste, de mortes e tragédias, na história mundial.

Ao olhar pela janela do carro, durante o trajeto do aeroporto até o hotel e ver que alguns alemães trajavam a camisa de sua seleção, decidi que colocaria a camisa da Seleção Brasileira e sairia caminhando por Berlim. E foi com a amarelinha no peito, alternando entre muito orgulho e um pouquinho de vergonha, que passei as primeiras horas em terras germânicas. É claro que alguns deram uma zoada, fizeram brincadeiras relembrando o 7x1. Mas todos me abordaram com respeito.

Felizmente, a Alemanha atual é bem diferente daquela separada pelo muro. Um país rico, moderno, pujante, organizado. De culinária marcante, de costumes e tradições típicas. Seu povo trabalhador reconstruiu um país que, ao aprender com o passado, se transformou em uma das maiores potências econômicas do planeta. Alguns locais, principalmente alguns monumentos, possuem uma riqueza histórica inconfundível e percebida a cada olhar. Mas emanam uma energia diferente, por vezes negativa.

Três importantes pontos turísticos, como as ruínas do Muro de Berlim, o Memorial do Holocausto e o Palácio do Reichstag remetem os viajantes para os momentos mais turbulentos, complicados e difíceis dessa nação. Por outro lado, o imponente Portão de Brandemburgo marca a reunificação de um povo, outrora dividido. Berlim é uma cidade incrível, um livro de história a céu aberto.

A viagem seguiria para outros países do leste europeu, o que me mantinha ainda mais motivado. Mas um dia, antes de deixar a capital alemã, resolvi fazer um passeio, que marcaria minha vida para sempre. O dia amanheceu bonito, com temperatura agradável. Após o café, empolgado e com as energias recarregadas, peguei a estrada rumo ao destino.

Chegando lá, o primeiro impacto. *"Arbeit macht frei"*, expressão em alemão que significa "o trabalho liberta." No contexto, esses dizeres representavam um forte sentimento de esperança, porém de muita dor também. Esse não era um lugar corriqueiro. A frase inscrita no portão era comum, uma espécie de boas-vindas nas entradas dos campos de extermínio, sob regime nazista, durante a Segunda Guerra Mundial.

Distante aproximadamente uma hora de Berlim, na cidade vizinha de Oranienburg, estava prestes a entrar no campo de concentração de Sachsenhausen. Confesso que, logo na entrada, comecei a sentir algo diferente, estranho. O sorriso da chegada desaparecera, perdendo forças, dando lugar a uma expressão séria.

Esse campo entrou em operação a partir de 1936, quando Hitler já estava no poder. Fora construído por prisioneiros migrados de outros campos. Deveria ser uma referência, um centro administrativo para estudos e treinamento, um modelo para reabilitação dos presos por meio do trabalho. Mas a história conta que não foi bem assim. Gradativamente, o campo de concentração se transformou num local de falsificação de moedas, de trabalho forçado, fome, crueldade e de extermínio massivo. Após a Segunda Guerra Mundial, o campo seria utilizado pelos russos.

Caminhava lentamente pelo campo, num momento de total introspecção. O local é de um silêncio ensurdecedor, o que torna o ambiente ainda mais fúnebre. Escutava os próprios passos. Um vento leve soprava. Uma atmosfera que não permite a indiferença. Ao entrar nos barracões, me deparei com quartos e banheiros coletivos. Um luxo para quem vivia amontoado, em condições desumanas. Imaginei os presos conversando, baixinho, sem reclamar, com medo da repressão, tentando de alguma forma descansar, mesmo com a latejante incerteza do dia seguinte.

As celas que aprisionavam aqueles que não tinham bom comportamento eram pequenas e frias. Ao passar por elas, tive a sensação de ouvir súplicas, daqueles que ali sofreram os mais diversos tipos de torturas. A cerca elétrica, o muro alto, o arame farpado, as torres de vigilância, tudo parecia compor o vasto espaço. A vida lá fora passava apenas no imaginário daqueles que ali estavam. Visitando o local, me senti como se realmente estivesse preso.

Ao parar nas câmaras de gás e fuzilamento, a pouca energia que ainda me restava seria por completo consumida. Ali, na esperança de uma consulta médica, banho e um pouco de relaxamento, as paredes, construídas de forma especial, continham o som de um rito cruel de sofrimento e mortes. Gritos parecem ecoar desse lugar.

O medo e a dor estão presentes por todo o campo. Ao passar pela zona neutra, local onde aconteciam os fuzilamentos, ao entrar na enfermaria, uma área de experimentos e crimes médicos, é possível sentir toda a barbárie praticada contra os prisioneiros. O sentimento é muito forte.

O caminho lutuoso tem seu final na Estação Z. A última letra, aquela que traz o fim para o alfabeto, foi escolhida, de forma pensada, para dar nome ao local. O significado é intrínseco e muito forte. "Z" de morte! Ao entrar pela torre A do campo, o prisioneiro com vida, trabalharia na esperança de receber de volta sua liberdade. À medida que o tempo fosse passando, poderia ser deslocado para os diversos setores, até ser conduzido ao último corredor. Uma vala fria, mórbida, sombria que dava acesso à tal "Estação Z", onde a vida deixaria de existir.

O campo de concentração de Sachsenhausen se transformou em um memorial, um museu, com exposições e visitas guiadas. O local é de uma tristeza surreal. Quem caminha por ali não fala alto. Não há sorrisos e, quando há, para uma possível foto, não demonstra alegria. Foi uma experiência forte, marcante. Nunca antes em minha vida senti uma energia tão pesada.

No dia seguinte, a viagem continuou e, a caminho de Praga, nosso grupo fez uma breve parada na República Tcheca, em uma pequena e simpática cidade chamada Kutná Hora. "Por que paramos aqui?", um amigo australiano que estava sentado ao meu lado no ônibus perguntou ao guia. "Vamos fazer uma visita ao Ossuário de Sedlec", respondeu.

Sem saber o que vinha pela frente, desci do ônibus para a visitação. Ao sair, me deparei com um lugar de muros altos e portão semiaberto. Era um cemitério que daria acesso à pequena Capela de Todos os Santos, uma típica construção de igrejas do interior.

Na entrada da capela, avistei alguns esqueletos humanos. Ao descer, por uma pequena escada, rumo ao subsolo da capela, percebi que o local ganhava dimensões assombrosas. A capela é artisticamente decorada por ossos de milhares de pessoas acometidas e mortas pela peste negra, bem como vítimas de algumas guerras.

Candelabros e caveiras ajudam a tornar o lugar completamente bizarro. Chama a atenção o enorme lustre, na parte central, que contém ao menos um osso, em sua decoração, de cada tipo que nosso esqueleto possui. Foi uma experiência diferente.

Em Praga, essa cidade aconchegante de cenário medieval, ainda vivendo essas experiências mais fortes, de clima menos leve, e para torná-las mais completas, visitei um *bunker* nuclear soviético, usado na Guerra Fria. Nas profundidades subterrâneas, esse abrigo fora preparado para salvar pessoas da morte imediata causada por explosões nucleares ou de bombas tradicionais. Nos pequenos e gelados corredores, vestindo máscara e trajes militares de época, em uma simulação de guerra, foi possível perceber o temor, a tensão, os mais diversos sentimentos que afloravam naquela gente durante o auge do comunismo.

Essa viagem incrível, até então de clima mais histórico e pesado, seria recheada de festas, momentos de prazer e descontração, passeios e refeições com jovens de todas as partes do mundo. Grandes momentos e boas histórias foram também vividas em terras austríacas, eslovacas e húngaras.

Em alguns locais, era possível ter sensações a ponto de ser afetado pela energia que emanam. O que senti, principalmente na visita ao campo de concentração, foi algo muito forte. Mas outra viagem me traria um sentimento completamente oposto. Portugal seria o primeiro país, o início de uma fantástica jornada pela Europa. Permaneci em terras portuguesas por 10 dias, me hospedando na casa de um casal amigo. Foi em Sintra, uma cidade medieval, com seus castelos e palácios, onde larguei as malas para começar a explorar as terras de nossos patrícios.

Ao caminhar pelas ruas de Lisboa, em dias de sol e calor, pude desfrutar dos encantos, das belezas, da gastronomia, da história, das atrações desse lugar aconchegante. Parecia que estava em casa, tamanha é a similaridade com o Brasil. A Torre de Belém, o Rio Tejo, de onde partiram as naus e caravelas dos grandes descobrimentos, o Mosteiro dos Jerónimos e a Praça do Comércio dão ao visitante uma amostra da riqueza cultural, da história de uma nação, de um povo desbravador e acolhedor.

Entre idas e vindas pelas ruas lusitanas, um pouco cansado e com fome, resolvi parar na antiga confeitaria Belém, que se encontra no mesmo endereço, desde 1837, data da sua origem. Diariamente centenas, ou talvez, milhares de pessoas se acumulam em longas filas para saborear os famosos e originais "Pastéis de Belém", servidos no local. Mal sabia, que ao degustar esse doce, seu sabor ficaria marcado para sempre em minha memória gustativa.

"Estou pensando em ir para Fátima, visitar o santuário", comentei com o casal, durante o jantar, que fora preparado por ele. "Por que não vamos todos juntos de carro?", perguntou meu amigo. Achei a ideia sensacional. Ao fim da refeição, tudo já estava planejado.

No dia seguinte, acordamos cedo, tomamos café da manhã e, na estação de Sintra, pegamos o trem até Lisboa. Chegando lá, fomos até uma locadora de veículos mais próxima, para alugar um carro. Tudo pronto, com a chave e documentos em mãos, pegamos a rodovia com destino à cidade de Fátima, que fica a aproximadamente 130 quilômetros da capital.

Durante o tranquilo trajeto, com a estrada em excelentes condições e bem sinalizada, um bate-papo descontraído. "A vida é surpreendente. Olha onde estamos! Juntos, passeando em outro país!", comentei. "Sim, jamais imaginamos que um dia isso pudesse acontecer", respondeu o casal, em sintonia. É impressionante o poder de uma viagem, o que ela nos reserva, os momentos que nos proporciona, as sensações que nos apresenta. Às vezes me percebo notadamente incrédulo, por estar onde estou, por fazer o que estou fazendo, por sentir o que estou sentindo. É uma percepção boa, que me faz viver tudo de forma mais intensa.

Chegando à interiorana cidade, nos dirigimos ao santuário. Ao descer do carro, no estacionamento, um local bem arborizado, já era possível perceber certa quietude. "Fátima é um lugar de adoração. Entre como peregrino." Estava escrito em uma placa à frente. E na condição de viajante peregrino, continuei a caminhada em silêncio. Fui batizado, fiz a primeira comunhão e a crisma na igreja católica. Minha família sempre participou das atividades do catolicismo. Eu, nem tanto! Não sou um frequentador assíduo de missas, de festividades religiosas, muito menos devoto de algum dos santos que a igreja venera.

Esse fato não me faz pior ou melhor do que os outros. Tenho temor, fé, acredito em Deus. Com ele, tenho minhas conversas noturnas. Vivo uma busca incansável por aquilo que acredito, pelo equilíbrio nas minhas ações, a fim de me tornar um ser humano melhor, sempre disposto a ajudar e a respeitar o próximo. De fato, tenho pouco de Deus na boca, mas muito no coração.

Ao entrar, passamos pela Basílica da Santíssima Trindade. Uma igreja moderna, de grandes dimensões. Ao sair, caminhando lentamente, me deparei com uma ampla esplanada. Ao fundo, a Basílica do Rosário, construída no lugar onde as crianças, que avistaram a Nossa Senhora, brincavam. À esquerda, uma forte visão me emocionou. Devotos de todas as partes do mundo, de joelhos, iniciavam um longo percurso de fé, de oração, em direção à Capela das Aparições. Aquilo mexeu demais comigo. Uma forte emoção tomava conta de mim.

Estava arrepiado ao ver pessoas doentes, suplicando pela cura; outras há pouco curadas, em gesto de agradecimento, se colocavam de joelho em oração, clamando aos céus. Era crescente a sensação de espiritualidade, ficava mais intensa à medida que me aproximava da capela. O silêncio do lugar era quebrado apenas pelo chiado, percebido nas orações proferidas pelos fiéis, em tom baixo. Difícil ficar indiferente naquela atmosfera. Com as mãos postas em oração, apertando-as sobre o peito, de cabeça baixa, olhos fechados, me rendi a Nossa Senhora, no local das aparições.

Colocando-me a rezar, só encontrei motivos para agradecer. Pela minha saúde, pelas oportunidades, pela minha família e amigos, pelo simples fato de estar ali. Tomado por uma confortante sensação de paz, permaneci calado, em reflexão, sentindo o que nunca havia sentido.

Sensibilizados com toda a história, dentro da Basílica e em frente ao túmulo das crianças escolhidas por Nossa Senhora, decidimos ir até uma pequena aldeia, distante a poucos quilômetros do santuário.

Lá visitamos as casas, de simplicidade única, que preserva os móveis, objetos e memórias das crianças, dos três Pastorinhos.

Após nossa passagem por Fátima, ainda visitamos Nazaré, a cidade litorânea, com as maiores ondas do mundo. A cidade de Óbidos foi nosso último destino de um dia que ficou marcado em nossas vidas. Portugal, de boas recordações, deixaria saudades.

Na mesma *eurotrip*, visitei o Santuário de Medjugorje, na Bósnia e Herzegovina. Confesso que as energias sentidas naquele lugar foram de intensidade menor, em comparação ao que vivi em Fátima. Mas essa grande viagem pela Europa reservou mais encontros com a minha crença e espiritualidade. Eu seria levado ao maior símbolo, à casa do catolicismo. Eu estava prestes a visitar o menor país do mundo, o Vaticano.

Era um domingo, o dia estava ensolarado, algumas nuvens no céu. Um clima primaveril tornava o ambiente ainda mais agradável. Minutos antes de o relógio marcar 12h, a expectativa só aumentava e me trazia forte ansiedade.

As pessoas ao meu redor seguravam bandeiras, faixas, cartazes, pareciam cheias de júbilo. Os meus olhos se voltavam, a todo instante, para a janela mais famosa do mundo. "*Cari fratelli e sorelle, buongiorno!*" – disse o Papa Francisco, saudando a todos da janela do apartamento papal. Os fiéis reunidos devolviam a saudação aos gritos, assovios e palmas.

O momento ganhava proporções celestiais. Ao ver e ouvir o maior líder religioso da humanidade, me senti plácido, abraçado por uma branda sensação de tranquilidade. Uma palavra de conforto, de esperança, carregada por boas energias. Não era um recado direcionado apenas para os católicos, mas sim para todos os povos que ali estavam. Um momento emocionante.

No dia seguinte, voltei ao Vaticano. Na entrada, fiz uma foto com soldados da Guarda Suíça, com seus uniformes chamativos. Fui ao vão central da Praça de São Pedro e parei ao lado do obelisco, que foi originalmente trazido do Egito por Calígula.

Após minutos admirando o grande arco, com suas colunas e pilastras, em mármore, decidi entrar no imponente templo do mundo cristão. A Basílica dedicada ao principal apóstolo, chefe da igreja e primeiro Papa da história, chama a atenção por sua estrutura, por suas pinturas, esculturas, por toda a atmosfera sentida em seu interior. Dentre as tantas obras de arte, a Pietá de Michelangelo é o grande destaque. A suntuosa cúpula, a maior de todas as igrejas, impressiona pelo tamanho e detalhes.

Os museus do Vaticano também são atrações imperdíveis. Passo a passo, caminhei pelos Museus Gregorianos e Apartamentos Borgia. A Galeria dos Mapas, com seu teto abobadado e as Salas de Rafael, com seus afrescos, são um convite à admiração. A expressão artística pulsa nesse local, pela genialidade, pelo talento e pela inspiração.

Após uma overdose de obras de arte, achei que nada mais poderia me surpreender. Para minha sorte, estava completamente enganado. A principal estrela, o ponto alto da visitação, se aproximava.

Ao entrar na Capela Sistina e, ao me deparar com aquela visão, que saltava aos olhos, tive a certeza de que viveria naquele local o apogeu da contemplação daquilo que chamamos de arte. O local que recebe os conclaves para as escolhas dos Papas, além de histórico é, sem dúvida, a representação da mais refinada expressão da arte feita pelas mãos de artistas da Renascença.

A capela é pequena, mas se agigantou quando comecei a admirar todas as pinturas em suas paredes, que remetem às descrições bíblicas do Templo de Salomão. Impossível mesmo é não se impressionar com "O Juízo Final", pintado por Michelangelo.

O teto da Capela Sistina é magistral. Não há nada igual. A famosa "Criação do Homem" prendeu tanto a minha atenção que, no dia seguinte, precisei tomar analgésicos para conter as fortes dores no pescoço. Culpa de Michelangelo e suas obras de arte.

A pintura que retrata Deus e o homem tocando a ponta dos dedos criou em mim uma conexão espiritual muito forte. Por alguns instantes, diante de toda aquela contemplação, tive o pressentimento de ser remetido a outro plano. Assim como na imagem, de tocar e ser tocado por Deus.

Extasiado, ao final da visitação, e já pelo lado de fora, resolvi me despedir do Vaticano de um jeito diferente. Energizado pelo local e completamente disposto, decidi fazer uma caminhada, que soa de certa maneira inusitada. Sim, eu caminhei ao redor das muralhas que cercam todo o país. Um fato memorável.

 # O MUNDO MÁGICO DA DISNEY COM MEU AFILHADO ADOLESCENTE

— Ninho, quem escolhe o padrinho de crisma? – perguntou aquele que seria meu futuro afilhado, durante uma chamada de vídeo pelo smartphone.
— Cara, depende. Em alguns casos os pais escolhem; em outros, o próprio crismando, com o consentimento deles – expliquei.
— Hum, entendi! – exclamou.
— Mas a crisma só vai acontecer no final do próximo ano. Tu acabaste de começar. Por acaso você já pensou, convidou ou escolheu alguém? – perguntei.
— Sim, o Ninho! – respondeu, após ter dado um sorriso, que lhe é peculiar.

O momento foi marcado por grande emoção, disfarçada pela alegria. Tinha forte significado. Era muito mais que uma simples escolha, era demonstração de sentimento, dos mais verdadeiros.

Naquele instante, um adolescente educado e carinhoso me escolhia para andar ao seu lado. Sinônimo de responsabilidade, de amor, de afeto, que nos aproximaria ainda mais.

Em outra ocasião. Um almoço de família na casa dele. Dia de festa e descontração.

Meu afilhado fez questão de sentar ao meu lado na mesa.
— Ninho, vamos para a Disney? – falou, surpreendendo-me com a pergunta.

Olhei para ele. Estava todo animado. Talvez por ter me feito a pergunta.
— Mas, tu já foi para lá – respondi, até ingenuamente.
Ele voltou ao prato e encheu o garfo com uma porção de comida.

— Ah, foram só três dias, passou muito rápido. Nem aproveitei direito. Eu gostaria de voltar! – sorriu.

Também voltei ao meu prato, mas não consegui continuar a comer.

— Não sei, uma viagem como essa não estava nos meus planos – respondi, como se conversasse comigo mesmo.

Ele continuou, mais entusiasmado que antes. Dessa vez, segurou meu braço, forçando-me a olhar para ele.

— Imagina que aventura, só nós dois, indo a todos os parques, às montanhas russas, aos simuladores, ao hotel. Cara, seria irado! – sorri, com a forma que ele falava — Vamos? – lançou a pergunta, como uma última cartada para me convencer.

Não respondi nada dessa vez. Ele, então, abraçou-me.

Retribui o abraço, meio que sem entender direito.

Disney, irado, abraço.

Sorri, agradecendo o abraço. E voltei ao meu prato, ainda me sentindo sem ação.

Outro assunto, em meio a tantas conversas, fez-me despertar do estado em que estava e prestar atenção ao que era falado.

Junto à família, comida saborosa, descontração, o bate-papo sobre a Disney não voltaria mais à tona naquele domingo. Ao fim da tarde, fui para casa.

No silêncio da madrugada, já deitado, estava sem sono. Minha mente, sempre ativa, impetuosamente me remeteu ao momento exato da pergunta que fora feita pelo meu afilhado, no dia anterior.

Ao refletir, percebi que não se tratava apenas de uma simples pergunta. Ele me fizera um convite, na verdade dois, que naquele instante, em meio ao que acontecia, não fui capaz de perceber.

Embora seja louco por parques de diversões, montanhas russas, simuladores, *shows*, nunca tinha passado por meus pensamentos a possibilidade de um dia ir exclusivamente para os parques de Orlando. Havia tido uma breve experiência, ao passar apenas um dia, na Euro Disney, durante uma viagem a Paris. Aquela passagem me parecia suficiente. Uma nova visita ao mundo do Mickey Mouse estaria descartada. Não seria mais cogitada, fora dos meus futuros planos de viagens.

    A despretensiosa pergunta trazia um convite para uma possível viagem. Sim ou não, naquele momento era uma questão de escolha, de decisão. Mas existia algo intrínseco. Um segundo convite no âmago daquela pergunta. Ele me convidava, sem se ater a isso, a voltar a ser criança, ou quem sabe, a ser adolescente, como o próprio. Isso foi o suficiente para mexer comigo. Aos 38 anos de idade, na plenitude da vida adulta, eu sucumbiria ao golpe de um adolescente que recém-completara 13 anos.

    O sim esperado por ele, naquele almoço, foi ganhando espaço, aos poucos, dia a dia, nas minhas reflexões. O despertar de uma possibilidade de voltar a uma época inocente, pura e alegradora, aflorou uma vontade adormecida pelo tempo. A infância devolve o imaginário, o encantamento. Embora tenha sido marcada por momentos de perdas, extremamente difíceis, ela pulsa vibrante em uma memória afetiva, que remete sempre a boas recordações.

    Fui menino, fui moleque. Após a escola, fazia o dever e jogava bola. Soltei pipa, joguei pião. Brinquei de carrinho, bola de gude, polícia e ladrão. Subi em árvores e andei de bicicleta. Agora, com meu afilhado, teria a chance de voltar a ser o que um dia fui, em um parque de diversão.

    O dia em que dei a notícia ao meu afilhado de que iríamos para a Disney, por videochamada, foi de uma alegria sem igual. "É sério?", levantou as sobrancelhas. Parecendo não acreditar, seus olhos arregalados brilhavam, seu sorriso peculiar ganhava dimensões em um rosto infanto-adolescente, que refletia a mais alegre das expressões.

    A viagem que começava com a compra das passagens ganhava uma contagem regressiva até a distante data, que marcaria a realização de um sonho e fortaleceria de vez nossos laços de fraternidade.

A escolha da hospedagem deixaria a viagem ainda mais mágica. Meu afilhado sugeriu que ficássemos em algum hotel dentro do complexo da Disney. Confirmamos nossa estada no Disney All-Star Sports Resort, com uma série de vantagens. A cada dia, a ansiedade e a expectativa aumentavam. Nossa imaginação nos teletransportava para Orlando, a cada ligação, a cada bate-papo. Faltava ainda garantir o ingresso, que viria em seguida. Agora sim a viagem estava completa.

Era uma sexta-feira de dezembro quando o tão sonhado dia chegou. A ida para o aeroporto trouxe, além de alegria, um sentimento de responsabilidade. No aeroporto, minutos antes de entrar para a sala de embarque, era chegada a hora de se despedir. Os pais do meu afilhado que, desde o primeiro momento não mediram esforços para que a viagem acontecesse, viveram toda a nossa expectativa, me fizeram um único pedido, enquanto abraçavam e beijavam o menino: "Cuida bem dele!", falou a mãe, com a voz embargada. O pai, além de boa viagem, afirmou que tinha certeza de que viveríamos uma grande aventura.

A decolagem do avião indicou que a viagem naquele instante era realidade. Olhei para meu afilhado. Ele olhava pela janela, parecia não acreditar. "O que deve estar imaginando?". Então, antes que dormisse, fizemos planos e estabelecemos um acordo. Estar ciente de alguns cuidados e da nossa responsabilidade nos faria curtir e aproveitar, com tranquilidade e alegria, os momentos que ficariam marcados para sempre.

A chegada ao aeroporto em Miami trouxe preocupação. Passar pela imigração é sempre um momento que requer atenção. Tudo estava certo, passagem de volta, hospedagem, visto, autorizações. Mas chegava aos Estados Unidos com um menor de idade. Não éramos pai e filho. Não havia grau de parentesco, apenas a relação entre padrinho e afilhado.

Iniciamos o processo pela imigração automatizada, pelos *totens* que digitalizam o passaporte e pedem algumas informações. Finalizada a etapa, pegamos a fila. Percebemos que mais à frente dois agentes antecipavam a conferência dos documentos e direcionavam as pessoas para as cabines de imigração. O policial que nos atendeu pediu os passaportes e perguntou o que faríamos nos Estados Unidos e por quanto tempo pretendíamos ficar em terras americanas. Respondi que estávamos lá para visitar Orlando e ir à Disney. Ficaríamos por 13 dias.

Devido ao gesto impreciso do policial, fiquei em dúvida se deveria ir até a cabine de imigração ou seguir por um pequeno corredor que já daria acesso ao país. Então, refiz a pergunta. O policial me olhou e falou que era para seguir, estávamos liberados. Nesse momento, meio que sem acreditar, olhei para meu afilhado: "Que pena, não vamos ganhar uma carimbada no passaporte". Ele sorriu com meu comentário.

Eu estava realmente aliviado. Havia me preparado para uma série de questionamentos. Estávamos nos Estados Unidos, o país de maior rigor no controle imigratório. Após a tranquila passagem pela imigração, fomos para o hotel, largamos as malas, tomamos um banho e saímos para curtir a cidade de Miami.

No dia seguinte, bem cedo, pegamos um ônibus que nos levaria para a cidade de Orlando. Algumas horas depois, passaríamos pelo mágico portal na entrada do mundo Disney. "Onde os sonhos se tornam realidade", essa frase impactante, no pórtico, recebe a todos anunciando a chegada ao lugar mais feliz do mundo. "Agora eu acredito!". Foi a frase de meu afilhado, ao chegarmos à recepção do hotel. Abracei-o naquele momento. Era uma silenciosa, mas sincera forma de agradecimento.

Enquanto aguardávamos na pequena fila do *check-in*, por alguns instantes, me coloquei em seu lugar. A reflexão me levou ao passado. Quando eu tinha 13 anos, fazer uma viagem de avião para outro país era algo distante da minha realidade. Era outra época, é verdade. Passar férias na Disney, então, era algo impossível de acontecer. Distraído, senti apenas meu afilhado me cutucar no braço avisando que a atendente nos fazia sinal com as mãos. Era a tão sonhada chave para entrarmos no mundo da fantasia. Hospedar-se em um dos hotéis da Disney foi o maior dos acertos, a magia começava a ganhar vida.

O tema do hotel era esporte. Nosso quarto ficava na área do beisebol. Tudo era imponente, colorido, com cara de infância. Encantador era passar pelo campo de futebol americano, com os capacetes e bolas gigantes que decoravam o local. Por ali, jogamos, corremos, brincamos. Como chegávamos dos parques cansados e famintos, o banho nas piscinas térmicas nos renovava. A saborosa pizza de *pepperoni*, regada a muito refrigerante, nos devolvia toda a energia.

Após o jantar, a visita divertida ao fliperama era obrigatória. A cada máquina, a cada jogo, uma disputa, uma competição. A música, os personagens, a lojinha, os enfeites natalinos, tudo remetia a um mundo de felicidade. A todo momento, risos, descontração, palhaçadas, brincadeiras. Tudo era motivo para diversão. A gente não parava um segundo, nem mesmo antes de dormir.

"Amanhã vamos para o Animal Kingdom", lembrou meu afilhado, durante o jantar, motivado pelo primeiro dia de parque. Era chegada a hora. Os momentos mais radicais, emocionantes e mágicos estavam para acontecer. Nos parques, viveríamos o ápice da viagem, o auge da alegria e do encantamento.

No dia seguinte levantamos cedo, tomamos café. Pegamos as mochilas e fomos ao ponto de embarque, para pegar o ônibus que nos levaria para o parque. O transporte para quem se hospeda nesses hotéis é gratuito. Outra grande vantagem é poder entrar e curtir os parques uma hora antes do público em geral, apenas com os hóspedes dos hotéis do complexo. Também é possível ficar mais tempo, após o horário normal de fechamento.

Durante o trajeto, meu afilhado estava falante. Sabia tudo sobre o parque. Seria o início de uma jornada divertida. Pela janela do ônibus, a imaginação não tinha limites. No parque. "Ninho, assim que abrir, vamos correndo para Pandora, onde fica o simulador do *Avatar*!", meu afilhado falou minutos antes da abertura.

Estávamos entre os primeiros da fila, que começava a ganhar dimensões. Em ponto, as catracas foram abertas. Passamos por elas, utilizando nossa *Magic Band*, uma pulseira digital, à qual vinculamos nossos ingressos. Utilizávamos esse acessório também como chave do nosso quarto, para compras, refeições e para agendar o *fastpass*, o famoso fura-filas, a maior das vantagens.

Desafiei meu afilhado, assim que passamos pelas catracas. "Vamos ver quem chega primeiro?". Sem perder tempo, sua resposta foi imediata. Saiu em disparada. Comecei a correr também. Foi um momento libertador. Éramos duas crianças brincando de correr, de quem chega primeiro. Que cena! Ela me fez lembrar das brincadeiras com meus amigos de rua.

Apontando para uma imponente representação, ele gritou que era a árvore da vida. Sem parar a corrida, pedi que virasse à esquerda, já estávamos chegando. Quando olhamos para trás, a nossa corrida motivou mais pessoas a fazerem o mesmo. Todos em busca de muita diversão. Após corrermos por centenas de metros, entrávamos em Pandora, o mundo do famoso e premiado filme *Avatar*.

Chegamos esbaforidos, mas alegres. Não havia naquele momento diferença de idade entre nós. A entrada da atração e o longo percurso até o brinquedo é algo surreal, uma reconstituição perfeita dos locais do filme. O simulador nos fez protagonistas. É possível perceber inúmeras sensações. O sobrevoo é único, beira à perfeição. Tudo parece real. A música, os personagens, o cheiro, os movimentos. Eu não havia estado em nada igual. Foi um dia inesquecível, como seriam os outros. Simuladores, brinquedos, montanhas russas e *shows* davam sentido a tudo que a gente estava vivendo. Em cada parque, a cada dia, novas histórias, mais carinho, mais cumplicidade.

Era chegado o dia de conhecermos o Magic Kingdom, o mais infantil dos parques, não à toa, como o próprio nome diz, um reino mágico. Do ônibus, durante o trajeto, foi possível avistar o castelo da princesa, o maior dos símbolos desse universo. Você percebe que está na Disney quando fica diante do castelo. Quando nos aproximamos, um *show* começava: *Frozen*. As crianças, os pais e quem ali estava cantavam o refrão da música tema do filme. Até nós cantamos! Impossível não se entregar aos encantos desse lugar, impossível não se emocionar ao ver o Mickey e sua turma.

Ao término de um desfile, corremos para o Town Square Theater. Foi lá que o personagem de desenho animado, que se fazia presente pela TV, durante toda a minha infância, me deu o mais forte dos abraços. "Que bom te ver!", falei ao Mickey, enquanto retribuía o abraço. O tradicional, espetacular e inesquecível *show* de fogos, tarde da noite, encerraria mais um dia dessa viagem que ainda nos reservaria muitos momentos.

Visitamos por dois dias consecutivos os também incríveis parques da Universal. Os simuladores que nos transformam em personagens dos filmes, as atrações, os brinquedos e as áreas temáticas nos levaram a grandes e divertidas aventuras. Foi na cidade dos *Simpsons*, no primeiro dia, que ganhei um presente do meu afilhado. Era o meu aniversário. Aliás, foi assim em todos os parques, no Epcot, SeaWorld, Hollywood Studios. Até os passeios pelos mercados e pela Disney Springs, um centro de compras e alimentação, têm suas histórias.

Queríamos conhecer todos os parques. Em um dos dias, contratamos um motorista por aplicativo, que nos levou até a cidade de Tampa. No Busch Gardens, uma injeção de adrenalina era dada, a cada montanha russa encarada. Quando perguntei se meu afilhado encararia a torre, ele deu um sorrisinho, meio amarelado. Seus olhos demonstravam apreensão. Ele já tinha encarado todas as aventuras, mas essa fez pensar. Não era para menos. A torre possui 102 metros de altura. É possível avistá-la de todas as partes do parque. Além da temida e veloz queda, seu barulho é forte, simula o mergulho de um falcão em direção à presa, durante a caça.

Mesmo com voz insegura, meu afilhado aceitou meu convite. Uma pequena fila nos faria esperar por poucos minutos. O suficiente para deixar o momento ainda mais assustador. Ao ouvir o barulho da queda e pessoas desistindo, meu afilhado pensou em desistir. Mas resolveu voltar atrás na decisão.

No brinquedo, cintos atados. As cadeiras começaram a subir, de forma lenta. O silêncio tomou conta, poucas manifestações eram ouvidas durante a subida. Ouviam-se gritos de apoio. À medida que subíamos, o parque ganhava dimensões, as montanhas russas, antes assustadoras, ficavam apequenadas. Ao chegar ao topo, o deslumbramento de tudo que se via deu lugar à assustadora virada das poltronas, 90 graus.

Nesse momento, de cara para o chão, apenas uma parte do equipamento nos prendia. Braços e pernas soltos. A sensação de liberdade é tamanha, que você acha que vai cair. Os eternos segundos que antecedem a queda proporcionam uma expectativa sem igual. Despencamos a quase 100 quilômetros por hora. Ao sair do brinquedo, a sensação de ter superado um grande desafio gerou alívio. Fomos tomados por um forte desejo de viver aquilo novamente.

Os brinquedos, as músicas natalinas, as áreas temáticas, os espetáculos, o ônibus, o hotel. Os momentos de descanso, saboreando uma enorme coxa de peru, os sorvetes em formato de Mickey, os brinquedos mais insanos, como foi o caso do Mission Space, um simulador de foguete, que nos deixou completamente mareados, a ponto de quase vomitar. Tudo nos marcou demais.

O universo, nessa viagem, conspirou a nosso favor. Era início de dezembro, de inverno americano, mas os dias foram ensolarados e agradáveis. As coisas aconteciam naturalmente, melhor que o planejado. Os parques não estavam lotados. Pegamos poucas filas. Das atrações mais concorridas, não esperamos mais do que 20 minutos. Era para ser do jeito que foi. Perfeito!

Foram dias encantadores, alegradores, que ficarão para sempre em nossas memórias. Chegamos como padrinho e afilhado; em alguns momentos, fomos pai e filho; em outros, irmãos. Essa viagem nos ensinou, nos aproximou, nos marcou, nos tornou verdadeiros e eternos amigos. A quinzena em que fomos crianças ou adolescentes chegava ao fim. No ano seguinte, o mesmo afilhado estaria comigo em um cruzeiro pelo mar e ilhas do Caribe.

Ao longo da vida, vamos perdendo parte da nossa essência infantil. O que há de mais puro, inocente, verdadeiro. A infância é o começo de tudo, uma época em que o simples agrada, surpreende e a felicidade está mais próxima. O resgate da infância nos faz entender o adulto que somos. Os momentos que dividi com meu afilhado serviram como uma importante lição, na revisão de alguns conceitos e para o entendimento de novos.

Esse tipo de viagem nos ensina que erramos quando queremos que a vida passe mais rápido. No mundo acelerado em que vivemos, pular etapas pode ser prejudicial. Viver cada tempo, na sua plenitude, sabendo lidar com os prazeres e frustrações, pode ser a chave para uma vida mais feliz.

O tempo está passando, rápido como sempre. Desde aquele primeiro convite, estamos sempre juntos. Algumas coisas mudaram, o que é normal. À medida que a vida se apresenta, surgem descobertas, necessidades, outros interesses. O conteúdo de algumas conversas agora é mais envolvente. Mas um assunto é corriqueiro, nossas viagens.

A primeira em especial deixou marcas alegradoras, expressas quando tocamos no assunto. Ao final das conversas, às vezes de algumas brincadeiras, meu afilhado não perde a oportunidade de mandar o recado, como da primeira vez, de forma despretensiosa e com o mesmo tom de esperança: "Ninho, precisamos voltar algum dia para a Disney".

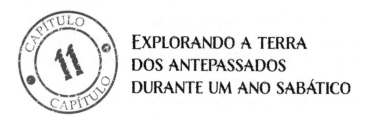

Explorando a terra dos antepassados durante um ano sabático

Era um domingo de sol em Roma. Após a bênção papal na Praça São Pedro, no Vaticano, por volta das 13 horas, peguei um ônibus, uma linha direta, que me levaria até o Estádio Olímpico de Roma.

O ônibus estava lotado de torcedores da Lazio, vestidos a caráter, de azul, a cor da camisa do time. Havia apenas um ponto amarelo, facilmente notado, que vestia a camisa da Seleção Brasileira, eu.

O time da casa jogaria contra a equipe da Sampdoria, pela trigésima quinta rodada do campeonato italiano.

Assim que desembarquei, comecei uma caminhada pelos arredores do estádio. Um amplo local, que inclusive abriga um complexo com dezenas de enormes estátuas, esculpidas em mármore de Carrara. Cada qual representando uma modalidade esportiva e uma província italiana.

Um fato chamaria a minha atenção, além da beleza do lugar.

— Senhor, senhor, boa tarde! Você é brasileiro? – perguntei em português a um homem, em voz alta, acenando com os braços erguidos.

Ele estava a certa distância, acompanhado por quatro adolescentes que vestiam a camisa da Lazio. Porém, percebi que este senhor estava vestido com uma camisa verde, da Chapecoense, time brasileiro.

Ele não percebeu que o chamava, talvez pelo barulho.

— Ei, amigo, você é brasileiro? – insisti, em português, gritando e novamente acenando.

Um dos adolescentes, percebendo o meu chamado, avisou ao senhor que imediatamente parou e olhou para mim. Estávamos a uns 10 metros de distância.

— Brasileiro, venha até aqui – falou em italiano, acenando com a mão direita.

Eu me dirigi, então, até eles.

— Olá, vocês são brasileiros? – perguntei, em inglês, a ele e aos quatro garotos.

— Não, somos todos italianos, moramos aqui em Roma. Eles são meus sobrinhos, apaixonados por futebol e torcedores fanáticos da Lazio.

— Eu também sou louco por futebol, mas achei que você era brasileiro por causa da camisa da Chapecoense! – falei.

Nesse momento o senhor estendeu a mão, cumprimentando-me. Os moleques fizeram o mesmo.

— Fiquei muito comovido com o trágico acidente no final do ano passado, assim como toda a minha família e o povo italiano. A partir do acontecido, decidimos que a Chapecoense seria o nosso segundo time do coração! – sorriu.

As tragédias chocam, machucam. Mas o esporte, principalmente o futebol, parece ser um antídoto, que emociona, envolve paixão, que possui uma linguagem própria, universal, capaz de aliviar ou até mesmo curar feridas abertas pelo destino.

Como explicar um sentimento capaz de fazer com que pessoas de outros países, outras culturas, de lugares distantes, comecem a torcer, a seguir, a ter orgulho em vestir uma camisa de outro time, que talvez sequer sabiam da existência?

— Você mora aqui ou está em viagem? – perguntou-me um dos adolescentes.

— Moro no sul do Brasil, em Camboriú, no Estado de Santa Catarina.

— A terra da Chapecoense! – falou o senhor, logo em seguida, ao entender Santa Catarina.

Esse fato estreitaria ainda mais os laços de amizade com a família.

— Venha com a gente. Vamos entrar no estádio e torcer para o nosso time vencer a partida – convidaram-me.

— Vamos! – aceitei.

Assistimos a um jogão de bola, em meio à barulhenta e aficionada torcida. Uma grande vitória da Lazio, por goleada, 7 a 3, uma chuva de gols.

Foi por causa de uma camisa de futebol, da querida Chapecoense, vestida por um italiano, que tive a oportunidade de fazer amigos, de me sentir em casa, em um dia que o futebol marcaria mais uma vez uma boa história em minha vida.

Estava vivendo uma *Eurotrip*, que duraria 3 meses, passaria por 13 países, em mais de 30 cidades. Uma acertada escolha, após anos e anos trabalhando arduamente em cargos de liderança nas esferas privada e pública. Seria um ano sabático e a melhor forma de aproveitá-lo era viajando.

A viagem que começou por Portugal já havia passado também por Andorra e Espanha. Aliás, em terras espanholas, especificamente nas cidades de Madrid e Barcelona, fui a jogos de futebol, à tradicional tourada, parques, festas e desfrutei das melhores atrações de cada lugar, na presença de amigos locais que estudaram comigo em Londres.

É sempre bom rever colegas, amigos, pessoas que, em algum momento, fizeram parte da sua história. Mas a viagem teria que continuar e chegava a vez de conhecer e curtir a Itália, terra dos meus antepassados. E a primeira cidade a receber-me não poderia ser outra, Roma.

A capital italiana é um museu a céu aberto. Um lugar de contrastes em que vistas milenares se misturam a partes modernas. O berço do Cristianismo, a base de uma das mais importantes e fortes civilizações da humanidade, o Império Romano. É uma cidade tão fascinante que é capaz de abrigar um país em suas dependências, o Vaticano.

Utilizando-me de transporte público e caminhando, o que na minha opinião é a melhor maneira de se conhecer e explorar qualquer lugar, me dirigi àquele que é considerado uma maravilha do mundo moderno, mas que também poderia ser considerado uma maravilha do mundo antigo, o Coliseu. Visitar as ruínas daquela que é uma das construções mais magníficas do mundo é uma viagem a um passado sangrento, de lutas e mortes. Do lado de fora, é notável a imponência arquitetônica do monumento.

Minutos depois, almejando a ocasião, entrava no Anfiteatro Flaviano, uma das arenas mais espetaculares do mundo. Um palco usado para jogos que envolviam batalhas entre gladiadores e animais. Espetáculos sanguinários que serviam para entreter milhares de pessoas que se acumulavam por andares separados pela classe e *status* social.

Lá do alto, do andar que naquela época era reservado aos comuns, observava tudo ao redor, cada detalhe. Comecei a viajar no tempo e a imaginar os gladiadores, antes do combate, ao som do clamor popular, entrando na arena, se curvando ao imperador e proclamando em latim: "*Ave Caesar morituri te salutant*", que quer dizer: "Salve César, os que vão morrer te saúdam".

Uma arena na qual a decisão pela vida ou pela morte dos lutadores, na maioria das vezes, cabia ao Imperador. Isso me fez pensar como já evoluímos enquanto sociedade, mas o quanto ainda precisamos avançar para vencer algumas batalhas cotidianas, tabus e preconceitos, que dependem de decisões e exemplos de nosso povo e dos nossos governantes.

O que não faltam são opções históricas para se ver em Roma. Após curtir os encantos do Coliseu, fiz uma rápida pausa para saborear uma deliciosa e genuína pizza. Em seguida, visitei outro local que também proporciona um mergulho na história: o Fórum Romano.

Caminhar vagarosamente, contemplando as ruínas daquele que foi o coração da Roma Imperial, o principal centro comercial, local de cerimônias, eleições, em que a vida pública acontecia, levou-me a uma reflexão, uma pergunta que sempre faço quando me deparo com lugares de tamanha magnitude histórica: "Olha onde estou?".

Uma grande aventura, por vezes até perigosa, é a tentativa em atravessar uma faixa de pedestres, de forma normal, em Roma. Um belo desafio de uma cidade agitada, barulhenta, assim como o próprio povo, os italianos.

Há um lugar, durante as viagens, não importa a cidade ou país, que sempre faço questão de entrar, quando as vejo. As igrejas parecem me convocar e, na Itália, estão a cada esquina. Seu formato, teto, pinturas são verdadeiras obras de arte. Esses locais me trazem alívio e me proporcionam agradecer a oportunidade de viver cada experiência, cada lugar que visito. É uma conversa rápida, mas muito sincera com Deus.

Em um dos dias, após visitar o Panteão, fui a pé até a Fontana di Trevi, um dos pontos turísticos, de maior aglomeração do mundo. Fazer uma boa foto requer paciência e estratégia. Como não tinha pressa, decidi esperar e observar a multidão, tomando um delicioso *gelato*, o melhor de toda a Itália, em um dos estabelecimentos mais famosos e tradicionais que fica naquela região. Respeitando a tradição, joguei algumas moedas na maravilhosa fonte, para garantir o retorno a esse lugar e a essa cidade fantástica. Eu deixaria Roma e seguiria de trem, no dia seguinte, rumo a Milão.

E em uma manhã de quarta-feira, cheguei à estação ferroviária central da capital italiana para uma parada rápida na cidade de Pisa, antes de seguir até a capital da moda. O que não poderia imaginar seria a visão que os meus olhos avistariam pela janela do trem. A linda e romântica região da Toscana me surpreenderia com seus encantos e cenários deslumbrantes.

As paisagens pitorescas se alternavam entre rurais, urbanas e litorâneas. Os vilarejos medievais, os campos de vinícolas, as onduladas colinas e montes esverdeados, as plantações de girassol e papoula, os castelos isolados, as cadeias montanhosas ao fundo, algumas com picos nevados, traziam uma sensação de paz para a alma.

Ao passar por penhascos e cidades banhadas pelo mar da Ligúria, no Mediterrâneo, a rota e o itinerário se tornavam ainda mais agradáveis e inesquecíveis, proporcionando uma viagem à parte, pelo olhar profundo que se perdia no horizonte das infinitas águas.

Chegando a Pisa, teria aproximadamente duas horas para conhecer a pequena e simpática cidade. Seu principal ponto turístico, a famosa Torre de Pisa, de fato chama a atenção pela sua inclinação. Agora divertido mesmo é ver os turistas, de forma criativa, tentando os mais diversos tipos de fotos, principalmente simulando segurar ou empurrar o monumento. É claro que também fiz o meu registro.

Voltando à estação ferroviária, embarquei no trem em direção a Milão, mais ao norte da Itália, na região da Lombardia. Seria surpreendido por uma cidade espetacular, na qual ficaria por seis dias. Eu me hospedei em um *hostel* de localização estratégica, temático, em que confraternizei com muitas pessoas. Como sempre falo, esse tipo de hospedagem é um convite a fazer novas amizades.

Não à toa que essa cidade é notadamente conhecida por ser a capital da moda e do *design*. Ao caminhar pelas ruas e locais, seja de dia ou a noite, é perceptível a elegância das vestimentas, principalmente das mulheres. É algo que realmente desperta a atenção. O grande símbolo da cidade, Duomo de Milano, a fantástica catedral católica é um apelo à apreciação à arte gótica. A Galleria Vittorio Emanuele II, com seus afrescos, um convite ao luxo e à sofisticação. O lugar ainda oferece numerosas basílicas e igrejas, entre elas a de Santa Maria delle Grazie, em que originalmente encontra-se uma das obras mais famosas do mundo, a *Última Ceia*, de Leonardo da Vinci.

O local ainda me proporcionou o encontro com uma amiga de infância, que foi tentar a vida na Itália e se casou com um italiano. Com o casal, após visitar uma pequena cidade, apreciamos um fim de tarde em Navigli, boêmio bairro milanês, com seus canais e construções que recebem todas as tribos. Um lugar de encontros com barzinhos, cafés e restaurantes.

Antes de seguir viagem pela Itália, tive a oportunidade de conhecer Zurique, na Suíça. A linda metrópole encanta pelo seu aspecto medieval. Tudo, tudo mesmo, é muito caro, mas a organização, limpeza, a educação do povo e a beleza do lugar valem cada centavo. Agora lindo mesmo é o trajeto de ônibus que liga a Itália à Suíça, no qual as paisagens parecem verdadeiras pinturas em tela.

De volta a Milão, em que o futebol também divide espaço com a moda, em um domingo, fui até o Estádio Giuseppe Meazza, o famoso San Siro, para assistir a um jogo da Internazionale. Era a despedida em grande estilo dessa cidade incrível.

A viagem seguiria pelas terras italianas, o próximo destino seria formado por um conjunto de ilhas, no qual a vida acontece em um complexo urbano que mais parece um labirinto, onde se perder é fácil. Um lugar em que as ruas são canais, de águas movimentadas por embarcações que levam e trazem pessoas a todo instante.

Estou falando de Veneza, a cidade das famosas gôndolas, que um dia pode submergir e desaparecer. Esse arquipélago, completamente diferente dos convencionais, me traria uma sensação diferente, de algo novo, ao comparar a tudo que já conheci e imaginei a nível de lugares.

Cheguei à cidade com um pôr do sol de arrepiar, recepcionado por um entardecer encantador. À medida que o sol se punha, o Vaporetto, típica embarcação, usada como meio de transporte público, lentamente me transportava até a afastada Ilha de Sant´Erasmo, um lugar tranquilo, onde há cultivo, campos e vinhedos, em que a vida parece passar mais devagar.

Já no *hostel*, depois do banho, fui até a cozinha comer uma massa preparada pelo gentil proprietário da hospedagem. Um jovem de traços asiáticos se encontrava sentado a uma das mesas. Estava sozinho, parecia estudar enquanto lia e fazia anotações em um caderno. Ao mesmo tempo que aguardava a refeição, percebi que ele, vez ou outra, me olhava, demonstrando algum interesse em se aproximar, em falar comigo.

"Uma massa italiana para o nosso amigo brasileiro", falou, em italiano, o dono do *hostel*, segurando a bandeja com o suculento prato. A fome era tamanha que me lembro do sabor daquela massa até hoje.

"Desculpa incomodar, sou da Coreia do Sul, ouvi que você é brasileiro e nesse momento estou aprendendo português", falou, educadamente em inglês, o coreano da mesa ao lado.

Obviamente o fato me surpreendeu. Estava em Veneza, em uma ilha longínqua, e me deparei com um sul-coreano aprendendo a escrever e a falar português. Como sempre falo, há acontecimentos que só as viagens são capazes de proporcionar.

Espantado com o inusitado anúncio, me propus a ajudá-lo. "Mas por que você quer aprender a difícil língua portuguesa?", perguntei. A resposta, em português, de certa maneira decorada, viria acompanhada de um sorriso: "Arrumei uma namorada brasileira e pretendo ir ao Brasil em breve conhecê-la". Isso foi o suficiente para adentrarmos na madrugada conversando sobre tudo, numa mistura de idiomas que variavam entre o inglês, espanhol, português e até coreano. O suficiente para dar início e fortalecer uma grande amizade.

Os passeios pelas ilhas de Veneza, principalmente pela Ilha de San Marcos, onde se encontra a famosa Ponte dos Suspiros, marcariam o fim de uma longa viagem, com um sentimento similar ao dos prisioneiros que por aquela ponte passavam pela última vez. Contemplando o cenário, suspirei ao me despedir desse lugar encantador que deixaria saudades.

A Itália, terra dos meus antepassados e descendentes do lado materno da minha família, me proporcionou experiências gratificantes. A Eurotrip seguiria, vibrante, agora rumo à Liubliana, capital da Eslovênia.

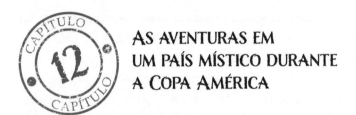# AS AVENTURAS EM UM PAÍS MÍSTICO DURANTE A COPA AMÉRICA

O termômetro em Cusco marcava 2 graus Celsius; o relógio, 4 horas da manhã. O frio cortante da madrugada parecia deixar o céu ainda mais claro e estrelado. Estava sozinho, apoiado na porta semiaberta da hospedagem. Tentava me proteger da brisa gelada, enquanto aguardava o guia de uma agência de turismo.

O dia prometia uma das aventuras mais difíceis da minha vida. Um trekking até a Montanha Colorida, a aproximadamente 5200 metros de altitude.

— Bom dia, amigo! Qual seu nome? De onde você é? – questionou um rapaz, ao descer de um furgão.

— Bom dia! Eu me chamo Paulo, sou do Brasil!

— Serei o guia na expedição de hoje. E aí, está preparado para o desafio de amanhã? – o peruano sorriu.

Cheguei a perceber certa expressão de sarcasmo, de ironia, mas achei que ele tivesse se enganado na data do desafio, ao fazer a pergunta.

— Estou sim. Estou tomando chá de coca desde que cheguei em Cusco. Levo água, comprei um saquinho com folhas de coca e cápsulas, com o extrato da planta, para ajudar na subida! – respondi.

— Perfeito, mas e amanhã? – insistiu.

— Amanhã visitarei o Vale Sagrado.

Não fazia ideia de qual era a sua intenção ao me perguntar sobre o que faria no dia seguinte. Minha cabeça só pensava no desafio que iniciaria em poucas horas.

— Paulo, estou falando da final no Maracanã. Amanhã o Peru vai ser campeão, vencendo a Seleção Brasileira.

Estava acontecendo a Copa América no Brasil e a seleção peruana estava na final. O povo estava confiante e o clima era contagiante.

— Agora entendi. Cara, ficaria feliz se o Peru conquistasse o título, mas não vai dar, o time do Brasil é melhor! – respondi, enquanto entrava no furgão.

O papo sobre futebol e outros assuntos se estenderia durante o trajeto, que durou aproximadamente três horas, até a primeira parada.

O caminho até as montanhas parecia um pouco tenebroso. Pegamos uma estrada empoeirada, sinuosa, estreita, que beirava o precipício. Num certo momento, olhei para o lado e uma mulher, rezando, fazia o sinal da cruz. No entanto, o perigoso caminho oferecia um cenário belíssimo, um vale montanhoso com riachos e vilarejos.

— Pessoal, vamos fazer uma breve parada para tomar um café da manhã, antes do início da aventura. Precisaremos de muita energia! – falou o guia, assim que paramos num local simples, de características típicas.

Pães, manteiga, geleia, ovos mexidos, salsicha, frutas, sucos e o famoso chá de coca foram servidos.

Depois da estratégica parada, fomos até o ponto de partida de nossa caminhada. Um local amplo, que serve de estacionamento, a 4500 metros acima do nível do mar. Era chegada a hora de ouvir algumas instruções.

— Atenção, pessoal! Serão cerca de 7 quilômetros caminhando até o mirante para avistar a Montanha Colorida. Caminhe devagar, respire, respeite os limites do seu corpo, a fim de evitar o soroche, o mal-estar causado pela altitude – orientou o guia.

Já no início da trilha é possível alugar cavalos, acompanhados por algum nativo, que leva até o início da última etapa da subida. Uma boa opção para quem não pretende encarar o desafio.

Comecei o trekking animado, num ritmo normal, como de costume. Segurava como apoio um bastão, improvisado por um pedaço de madeira.

A trilha era boa, plana, sem obstáculos, de pouca inclinação. Passava a falsa impressão de que seria fácil.

Após quase dois quilômetros de caminhada, começava a sentir certo cansaço e um pouco de dificuldade para respirar.

— Vou dar uma parada para descansar e mascar uma folha de coca! – falei a um casal de amigos canadenses, que também aderiram a ideia.

Algumas pessoas já reclamavam de tontura e dores na cabeça. O sol ficava cada vez mais forte. A temperatura variando a cada momento.

Segui caminhando. Não bastasse o ar que se tornava cada vez mais rarefeito, a paisagem também era de tirar o fôlego. As montanhas com topo nevado tinham o céu azulado, como pano de fundo. Os pedregulhos se misturavam à vegetação rasteira. Lhamas e alpacas demarcavam o espaço, com ternura.

O tempo, que costuma mudar constantemente, naquele dia se manteria firme até o final.

— Meu Deus, não aguento mais! Vou desistir! – falou uma senhora, com a mão no peito, tentando puxar o ar que lhe faltava.

— Calma, senhora, sente-se e descanse! – oferecendo a ela ajuda e um pouco de água.

Outros aventureiros começavam a desistir. A altitude era realmente desafiadora, exige preparo.

A última e pior parte se aproximava. Um trecho curto, porém íngreme. Estava ofegante. Parei por dez minutos, para respirar e contemplar a beleza do lugar.

— Vamos, vamos, agora falta pouco! – falou um turista inglês, em voz alta, incentivando a todos.

Comecei a subida. Mesmo devagar e com bom condicionamento físico, precisava parar a cada 20 metros. Tentava respirar, mas o ar não vinha.

— Chegamos, chegamos! – vibravam algumas pessoas.

Após duas horas, eu chegaria ao ponto mais alto e receberia, de braços abertos, a linda recompensa pelo desafio pessoal.

A mais de 5000 metros de altitude, à minha frente, a exuberante Montanha Colorida se impunha com sua incrível coloração, de variadas tonalidades, resultante da erosão e decomposição química de diversos minerais. Um espetáculo da natureza que fez valer todo o cansaço.

O Peru e seu povo me surpreenderiam em uma viagem que teve início por sua capital, que fica ao nível do mar. A ideia era ir me acostumando, uma gradativa adaptação para encarar a altitude que viria pela frente.

Lima é o centro político, econômico e financeiro do Peru. Uma cidade fascinante e com alguns aspectos contrastantes. Um deles, que chamou a atenção, é o fato de que algumas casas não possuem telhado, ou possuem apenas uma simples cobertura, nada resistente. Nunca, ou quase nunca, chove por lá.

Era um sábado à tarde quando fui até a Praça de Armas, ainda em Lima, onde uma multidão se concentrava para assistir, em um grande telão, à seleção peruana jogar contra a seleção uruguaia, pelas quartas de final da Copa América, que acontecia no Brasil.

Os peruanos, assim como os brasileiros, são apaixonados por futebol. Eles estavam felizes, confiantes. Antes da partida, o clima era de festa. Música, grupos de danças típicas, apresentações culturais formaram uma atmosfera contagiante que contribuiu para fazer amigos e me juntar à torcida.

O jogo foi tenso, acabou empatado. Mas a seleção peruana garantiu sua classificação ao vencer uma emocionante disputa de pênaltis. Foi uma grande festa na cidade. Pelas ruas, praças, bares, restaurantes, o povo comemorava vestindo orgulhosamente a camisa de sua seleção.

A competição continuaria, bem como a viagem. De ônibus, me dirigi até a pequena cidade de Nazca, onde cheguei ao final da tarde. O local não se encontra muito acima do nível do mar, mas me proporcionaria experiências além das minhas expectativas, começando naquela mesma noite.

O primeiro desafio foi a tentativa de tomar um banho em um chuveiro com água fria, de pingos contados, na simples, mas aconchegante pousada em que me hospedei. Estamos falando de uma região desértica, praticamente não chove, por isso a distribuição de água é tão escassa. Hospedar-se no deserto é passar por algumas dificuldades.

Após o banho, fui caminhando até um planetário, que fica no centrinho da cidade. Participei de uma interessante apresentação sobre as famosas Linhas de Nazca, além de observar as estrelas e constelações por meio de um telescópio. A noite estava tão propícia que foi possível avistar os planetas: Júpiter e Saturno. Este último, com seus anéis, de forma muito nítida. Uma experiência diferente, uma preparação para o que aconteceria na manhã seguinte.

Era cedo, o sol já raiava em um céu completamente azulado e sem nuvens, anunciando um dia de aventura. Estava no aeroporto local, de onde partiria em uma pequena aeronave, a fim de sobrevoar as misteriosas e intrigantes linhas no deserto.

À medida que o avião subia, o deserto se agigantava. As linhas que formam símbolos e desenhos de animais ganham dimensões lá do alto. Uma grande incógnita por trás de diversas teorias. Uma experiência de arrepiar, que faz pensar na incrível capacidade humana ou, até quem sabe, na capacidade extraterrena. O voo durou 45 minutos, mas a emoção ainda prevalece até hoje.

No ônibus de uma empresa local, o destino era a charmosa cidade de Arequipa, cercada por três vulcões, a 2300 metros de altitude. O corpo já começava a sentir com a elevação, mas era o início de uma boa adaptação. Na Praça de Armas de Arequipa, no início de uma quarta-feira à noite, eu me uni novamente a uma multidão para torcer para a seleção do Peru, que jogaria contra a seleção do Chile, pelas semifinais da Copa América.

Era questão de honra vencer os chilenos, o principal adversário, de rixas históricas, que ultrapassa as fronteiras do futebol. O jogo foi sensacional e o resultado ainda melhor, 3 a 0 para o Peru. Foi de lavar a alma, o Peru se classificou para a final. Após a partida, ainda mais confiante, o povo fez a festa se estender pelas ruas madrugada afora. Era um clima gostoso, todos felizes, mas começava a surgir certa preocupação. O adversário da grande final era o Brasil.

O ápice da viagem se aproximava. Embarcava rumo ao próximo destino, Cusco. Antiga capital do Império Inca, situada nos Andes peruanos, a 3400 metros acima do nível do mar. O ponto de partida para diversas atrações. Praticamente acostumado, sentia menos os efeitos da altitude.

O Peru é um país reconhecido mundialmente pela sua gastronomia. Assim que cheguei a Cusco, fui logo fazendo um *tour* gastronômico. Desde beber uma *chicha morada*, um refresco feito por um milho de cor roxa, a comer um delicioso *ceviche, lomo saltado, ají de gallina*, até chegar a experimentar o prato mais típico, o *Cuy*, um preá, mais conhecido no Brasil como porquinho-da-índia.

Depois da aventura na Montanha Colorida, o dia posterior seria marcado pela visita ao Vale Sagrado dos Incas e também pela grande final da Copa América. Era domingo de manhã, quando parti, junto a um grupo, rumo a um imperdível e histórico passeio. Começamos pelas ruínas de Moray, terraços construídos em degraus com formato circular, pensados de forma estratégica. Um grande laboratório, um importante campo de cultivo e experimentos agrícolas. Em seguida visitamos as salinas de Maras, que se mantêm desde os tempos pré-incas. São milhares de tanques onde o sol evapora a água e o sal se cristaliza. O branco das salineiras, em meio ao vale, deixa o cenário surreal.

No pitoresco povoado de Ollantaytambo é possível contemplar um fabuloso panorama arquitetônico, de um sítio arqueológico preservado, em que se pode avistar um rosto monumental, esculpido naturalmente em umas das montanhas. Eles acreditavam ser de uma divindade protetora, nominada Viracocha. A sensação é que os Incas ainda vivem por ali.

Enquanto isso no Brasil, a grande final da Copa América de 2019 já acontecia no Maracanã. Os peruanos, vestindo a camisa de sua seleção, se aglomeravam em frente aos bares, restaurantes ou onde houvesse uma televisão.

De Ollantaytambo, seguimos para as ruínas de Pisac, outra verdadeira joia da arqueologia. Assim que chegamos, recebi a notícia do guia peruano: "Parabéns Paulo, o Brasil acaba de ser campeão, vencendo o jogo por 3x1".

O dia finalizava com o título da Seleção Brasileira e com um passeio cultural, que serviu de aperitivo para uma grande aventura que aconteceria no dia seguinte. Visitaria mais uma das maravilhas do mundo moderno, o lugar mais esperado de toda a viagem, Machu Picchu.

Ansioso, sem dormir direito, já estava desperto às 3 horas da manhã. O trajeto até a cidade perdida dos Incas é longo, mas talvez seja isso que torna a aventura ainda melhor. Embarquei em um micro-ônibus de uma agência de viagens local, que levaria de Cusco até a estação ferroviária de Ollantaytambo, de onde, às 5h30 da manhã, parti em um trem para a cidade de Machu Picchu Pueblo, mais conhecida como Águas Calientes, às margens do Rio Urubamba.

Os espaçosos e confortáveis vagões tinham janelas panorâmicas, inclusive no teto. A viagem, de aproximadamente 3 horas, por um vale onde os cenários se alternavam entre montanhas, riachos, plantações, animais, mata nativa, em uma paisagem extraordinária.

Em Águas Calientes, faltava ainda o último trecho, feito de ônibus, que duraria uns 30 minutos, por uma estrada morro acima, sinuosa e perigosa, até a entrada do monumento histórico. Após uma rápida subida, caminhando por uma trilha, cheguei ao primeiro mirante. Quando me deparei com aquela maravilha, fiquei petrificado, assim como as pedras utilizadas em toda a construção. Um refúgio misterioso e sagrado. Uma cidade construída com precisão sobre penhascos, cuja fronteira é o céu. Impossível ficar indiferente a uma civilização singular, que prosperou no alto daquelas montanhas. "Como foram capazes de construir tudo aquilo, nesse lugar!".

Foi caminhando pelos labirintos das ruínas que, em certo momento, resolvi sentar-me nas enigmáticas pedras. Em silêncio, comecei a contemplar as montanhas ao redor, a vegetação densa, e sentir toda aquela atmosfera, em uma forte conexão com a natureza, que parecia manifestar uma energia intensa, uma espiritualidade sem igual. Um momento de reflexão e equilíbrio em uma zona sagrada. Machu Picchu é surpreendente, um local místico, de certo modo indesvendável. A cidade perdida, por sorte encontrada, proporciona uma viagem no tempo, inspira curiosidade, fascínio e um sentimento de paz.

Depois do ponto alto da viagem, restava conhecer o Titicaca, o lago navegável mais alto do mundo. Para que isso acontecesse, peguei mais uma vez um ônibus. Aproximadamente 7 horas depois, cheguei à cidade de Puno, a capital folclórica peruana, a mais de 3800 metros de altitude.

Viajar de ônibus pelo Peru foi a melhor maneira que encontrei para conhecer e explorar ainda mais esse país de paisagens incríveis. É uma opção demorada, mais econômica, porém aquela que vai permitir se aclimatar melhor à medida que se ganha altitude. E o mais fantástico, proporcionará a contemplação da cordilheira, com suas cadeias de montanhas que se moldam conforme o lugar e a estação, a vegetação, os animais, diferentes cidades, formações desérticas, estradas perigosas, perais, enfim uma forma imperdível de não perder os detalhes desse lindo país.

Em Puno, logo pela manhã, peguei uma embarcação até as ilhas flutuantes dos Uros, a etnia que as habita, desde tempos remotos. É incrível a habilidade desse povo ao fazer e manter as ilhas com a *totora*, uma espécie de junco nativo, raízes que amarradas em blocos possibilitam a flutuação. Eles vivem em pequenas casas, também construídas com essa raiz, buscam alimentos pela pesca e caça, tratam a própria água do lago para consumo, vivem do artesanato e turismo.

Ainda no mesmo dia, naveguei até a Ilha de Taquile, um passeio a 45 quilômetros da costa. Ela é povoada por uma comunidade que possui regras próprias, o tipo de vestimentas e acessórios, as cores, a forma como são usados, definem autoridade, o estado civil ou, ainda, a pretensão de relacionamento de cada pessoa. Um pedaço de terra, em meio a um gigantesco lago, que mais parece um oceano, no qual uma cultura peculiar resiste ao tempo. Trilhas levam a lugares e mirantes com vistas encantadoras.

Viajar ao Peru não se trata apenas ir a um lugar qualquer, é também uma viagem interna, ao encontro do próprio eu. Em Lima, muitas casas não possuem telhado, pois as pessoas acreditam que não chove. Mas e se chover? É assim na vida, muitas vezes por confiar demais não nos preparamos de forma adequada para as adversidades.

O deserto com as Linhas de Nazca é cercado por diversas teorias que nos levam a refletir sobre a própria existência. E se realmente existirem outros tipos de vida? Não seria muita pretensão nossa achar que estamos só nessa imensidão? Já em Cusco e no Vale Sagrado, o misticismo de uma civilização que deixou patrimônios religiosos, templos, crenças e rituais nos remetem ao poder da espiritualidade.

Machu Picchu, um dos locais mais enigmáticos do planeta, reserva uma energia que transcende as imponentes montanhas cultuadas pela proteção que oferecem ao lugar. No Lago Titicaca, a reflexão se estende a um modo de vida simples, que mantém tradições antigas, em meio ao contato direto e primitivo com a mãe natureza.

O Peru é um país de história e cultura riquíssimas, que pode ensinar a cada canto, se você estiver propenso a isso. Foram dias inesquecíveis, de novas amizades, de encantamento, de surpresas, desafios, aprendizados e das mais diversas sensações.

A REALIDADE CUBANA VISTA PELOS MEUS PRÓPRIOS OLHOS

Eram por volta das 15h quando cheguei ao meu destino. Após uma longa conversa com a família da casa onde me hospedei, lembrei-me de que deveria entrar em contato com familiares e amigos do Brasil para informar que estava tudo bem.

— Vocês têm Internet? – perguntei à senhora, proprietária da acomodação, já imaginando a resposta, pela estrutura precária do local.

— Não temos acesso fácil a essa tecnologia, Paulo, principalmente aqui nessa região – respondeu.

— E como poderia fazer? Há alguma possibilidade? – indaguei, já um pouco preocupado.

— Sim, você pode ir caminhando até o centro, que fica a menos de 2 quilômetros daqui. Lá encontrará alguns hotéis, onde você pode adquirir um cartão que permitirá acessar a Internet – orientou a senhora, me indicando a direção que deveria seguir.

Eram aproximadamente 20 horas quando iniciei a caminhada pelas ruas de Habana Vieja, o bairro mais antigo de Havana, onde a vida cubana se mostra como de fato ela é.

Durante a caminhada, pude perceber a realidade que encontraria nos dias e andanças que viriam pela frente, mas o objetivo naquele momento era tentar de alguma forma me comunicar com o meu país.

No Parque Central, o primeiro hotel que avistei foi o Iberostar, mas achei que deveria continuar caminhando. À frente, me deparei com o Hotel Plaza.

Havia um concierge na porta de entrada.

— Boa noite, o senhor poderia me informar se aqui vendem cartão de acesso à Internet? – perguntei.

— Boa noite, amigo. Sim, mas a funcionária responsável pela venda precisou sair do setor e voltará em trinta minutos.

Mesmo estando do lado de fora do hotel, percebi que havia uma movimentação no amplo hall de entrada que dava acesso a um restaurante, mais ao fundo. Um grupo musical se preparava para alguma apresentação.

— Senhor, obrigado pela informação. Voltarei mais tarde! – agradeci.

— Amigo, fique à vontade, mas se preferir entre, sente-se e aguarde aqui dentro. Você já jantou? Conheça o restaurante e veja o cardápio – sugeriu o homem.

Realmente estava propenso a continuar dando uma caminhada e voltar em seguida, mas os primeiros acordes instrumentais do grupo musical me fizeram mudar de ideia.

A música tem o poder de marcar momentos, nas viagens, na vida.

Atraído pelo som que entrava em meus ouvidos, entrei, sentei e me deixei levar pelas vozes que assim cantavam:

> *Guantanamera, guajira guantanamera.*
> *Guantanamera, guajira guantanamera.*
> *Yo soy um hombre sincero,*
> *De donde crescen las palmas...*

Nesse momento, tive a certeza: estava em Cuba. A conhecida e envolvente canção seria o ritmo de uma viagem por um país histórico, de um povo educado, humilde, sofrido, mas que encontra a felicidade nas coisas mais simples.

Após deliciar-me com a apresentação musical, eu me dirigi até o local onde conseguiria comprar o cartão que me garantiria o acesso à Internet. Estar em Cuba é voltar ao passado, ora recente e, por vez, distante.

Nesse caso eu voltaria para a década de 90. O cartão possuía um código que, após identificar por wi-fi a rede do hotel, seria usado como senha, para *acessar, de forma bem precária e por minutos, a Internet discada, algo desconhecido pelos mais jovens.*

Assim como no passado, acessar as redes sociais, *sites*, fazer qualquer postagem era um teste de muita paciência, pois o sinal era ruim e oscilava muito. Havia outros pontos da cidade, como pequenas praças, por exemplo, que disponibilizavam também o acesso, porém da mesma forma.

O fato acabou sendo motivo para diversão e para refletir como o mundo mudou e vem mudando de forma rápida. As coisas se tornaram e estão se tornando cada vez mais acessíveis. O que me entristece e lamento é que, infelizmente, isso não é realidade para algumas pessoas.

Cuba, a maior ilha caribenha, provoca no imaginário algumas dúvidas que dizem respeito ao regime político, à ditadura, ao domínio comunista por décadas da Família Castro, aos embargos dos produtos do mundo capitalista. Além de ter a oportunidade de explorar mais um país e algumas cidades, gostaria de sentir a realidade de uma cultura mais fechada, porém não menos encantadora. E para ter uma experiência ainda mais completa, decidi me hospedar em uma casa de família cubana.

Era meio da tarde quando bati na porta de uma humilde residência que se localizava bem no âmago da parte velha de Havana, em que realmente a vida cubana acontece. Foi uma escolha estratégica, com objetivo claro de viver, pelo menos por alguns dias, a realidade dessa gente.

A recepção não poderia ter sido melhor. Naquele momento todos os familiares estavam em casa. Pai, mãe e uma filha que fizeram de tudo, durante toda a estada, para me agradar. Em termos de hospedagem, essa foi uma das melhores experiências que já vivi. Tudo era simples, mas confortável e limpo. O excelente café da manhã fazia parte da reserva, mas nos relacionamos tão bem que cheguei a almoçar e jantar algumas vezes, a convite deles.

Havana é uma cidade incrível, clássica, em que as marcas históricas da política estão por todo lugar. Como sempre faço, foi caminhando por ruas e vielas; aos poucos, fui conhecendo essa cidade de contrastes. Construções antigas e malconservadas, casas neocoloniais, algumas às vezes caindo aos pedaços e um dos grandes símbolos, os luxuosos e clássicos carros americanos das décadas de 20 a 60 remontam um cenário fascinante que desperta sensações que se confundem.

As imagens de algumas situações que se apresentam e, de vez em quando, entristecem, não apenas pela situação mais pobre da população, que vive um regime mais fechado, que recebe baixíssimos salários, pouca condição de saneamento, mas também pela falta de oportunidades e acesso.

Impossível estar lá, tentando viver como tal, para sentir na pele as dificuldades e não fazer as comparações. Quando precisava comprar algo, encontrava pequenas vendas, que dispunham de pouquíssimos produtos, em sua maioria provenientes da Espanha. Sem falar da pouca variedade de opções. Encontra-se o básico mesmo e, às vezes, nem isso.

Só por curiosidade, há duas moedas oficiais que circulam no país: o CUP, peso cubano, a moeda local, e o CUC, peso convertível, mais conhecida como a moeda do turista. Caso a moeda de troca seja o dólar americano, é aplicado um imposto diferenciado, o que não acontece com outras divisas.

Mas há coisas que surpreendem, como os pilares básicos das políticas públicas. A educação, a segurança e principalmente a área da saúde não deixam nada a desejar. E talvez isso torne a vida deles mais tranquila, ou menos cruel. Ao comparar, posso garantir que, em alguns quesitos, estão a nossa frente. A discussão, muito menos a intenção é política, apenas percepção do que presenciei.

E como sempre falo, a melhor parte das viagens são as pessoas. Os cubanos são falantes, amistosos, solícitos. É um povo que vive literalmente nas ruas, principalmente durante a noite, talvez pelo forte calorão dentro de casa ou pela falta de opção de entretenimento. É comum estarem à beira das calçadas mulheres e homens conversando entre vizinhos e amigos, jogando dominó, bebendo, se divertindo. Antigamente, na cidade onde moro, em Camboriú, também era assim.

 Algo que realmente mexeu comigo, me remetendo a diversos momentos à minha infância, foi assistir à molecada brincando com bolinha de gude no barro, jogando bola nas ruas, com pés descalços, com uma bola velha e surrada, improvisando as traves com chinelos. Outra imagem que me marcou, devidamente registrada por foto, foi ver duas crianças que dividiam o mesmo *roller*, aqueles patins, que uma delas calçava o pé direito do equipamento enquanto a outra, o pé esquerdo. Felizes brincavam pelas ruas, com a maneira que encontraram para juntas se divertirem.

 Faz a gente ter saudades. Sem *videogames*, computadores, *Internet*, *smartphones*, sem alguns acessos, éramos felizes, apenas crianças, como todas merecem ser. Época boa, em que a felicidade, sem maldade, se fazia presente nas mais simples brincadeiras de rua.

 Estava encantando com o cotidiano na capital cubana. Os passeios diurnos e noturnos pelos pontos turísticos, o desfile dos antigos carros trazendo um charme especial às ruas, os prédios históricos, os bares e restaurantes com boa gastronomia embalados pela contagiante música cubana. Enfim, a cada canto que explorava, descobria algo que se revelava.

 Mas o que gostava mesmo era de estar com a família, geralmente durante a noite, quando conversávamos sobre a vida em Cuba, de como era viver em um país socialista, as dificuldades, o que realmente funcionava, quais as reivindicações da população, as maiores necessidades, dentre outros assuntos.

 É claro que conversávamos muito sobre o Brasil também, assim como nós, eles têm muita curiosidade, mas expressam grande admiração por nosso país. Tanto que um fato curioso me chamou a atenção. Em horário nobre, o que passa na TV são as novelas brasileiras.

Em um dos dias, por volta do meio-dia, aluguei um *tuc-tuc*, um meio de transporte, uma espécie de moto com três rodas e uma cabine, que me levaria até a gigantesca Plaza de La Revolución, o lugar mais quente da cidade, pelo menos naquele dia.

O local tem muita história, principalmente no que tange ao cenário político do país. Palco dos pronunciamentos de Fidel Castro, manifestações e outros eventos. Ao seu redor há alguns edifícios ocupados por empresas e órgãos governamentais. Em dois desses prédios ficam as imagens dos famosos revolucionários: Che Guevara e Camilo Cienfuegos, que se transformaram em cartões-postais.

Depois de passar muito calor, fui direto até La Bodeguita del Medio, frequentado ponto turístico, para me refrescar degustando o melhor *Mojito* de Havana, seguido de um *Cuba-libre* ao som das músicas locais. Muitos que por ali estavam fumavam os tradicionais charutos cubanos.

Algo que eu fazia todo o fim de tarde era dar uma caminhada pelo extenso calçadão do Malecón, uma avenida de aproximadamente oito quilômetros que beira o mar. Lugar onde as pessoas se exercitam, correm, pedalam, pescam e contemplam um belo pôr do sol.

Ter ficado na parte velha de Havana foi a melhor das escolhas. Foi ali que eu vi e vivi a realidade, o dia a dia, que me aproximei dos sentimentos desse povo. Mas a viagem por Cuba continuaria e o destino escolhido seria uma praia, não uma praia qualquer, mas sim aquela que está sempre na lista das melhores e mais bonitas do mundo, Varadero.

A ida até o próximo destino seria uma divertida aventura. O táxi contratado seria obviamente um automóvel muito antigo, adaptado, um Plymouth ano 1958, verde, que de forma compartilhada, junto a um grupo de cinco gringos, nos levaria até a praia.

Com as janelas abertas para espantar o calor que fazia e o cheiro de combustível que vinha das entranhas do veículo, motivo de risadas e alegria, a viagem me proporcionou fazer novas amizades com uma galera jovem, disposta a curtir a vida e se divertir.

Em Varadero, reduto de férias dos americanos, também me hospedei em uma casa de família cubana, indicada pela família de Havana. Uma hospedagem simples, porém, bem localizada, no centrinho, bem pertinho da praia. Aliás, a praia caribenha proporcionou um mar de águas cristalinas, temperatura agradável. Com areias brancas e uma vegetação que a torna ainda mais bela, o que garante a quem frequenta o local muita paz, descanso de deslumbramento. Não à toa está entre as mais belas do mundo.

Foram três dias nesse lugar, em que aproveitei aquele que costumo chamar de meu ansiolítico natural, o mar. Quando estou perto dele, estou bem e feliz. Alguns momentos com a família serviram para conversarmos sobre a vida naquela faixa de terra litorânea e é claro sobre os acontecimentos históricos da política local, assunto que eles gostam de conversar.

O senhor proprietário do imóvel me falou uma frase que marcou e pode nos fazer refletir. "Paulo, nosso povo é sofredor, mas o problema não está apenas no regime adotado por um país, mas sim pelos governantes que estão à sua frente. Pergunto: vocês lá no Brasil não têm problemas?"

Cuba me apresentou várias facetas, no cotidiano que pude compartilhar por onde passei, com as pessoas que tive contato e principalmente com a experiência de ter me hospedado em casas de famílias locais. Tudo na vida é aprendizado, principalmente quando as notícias dão lugar à vivência. Pude ver Cuba e os cubanos com meus próprios olhos, isso mexeu comigo e com minha percepção sobre uma nação tão especulada, no entanto pouco conhecida.

Há pobreza extrema em muitos casos, sim. Falta acesso a muitas coisas, falta. Contudo, há também coisas boas, que de alguma forma me marcaram e permitiram algumas reflexões. Longe da discussão política, que não é o intuito com a escrita e que não nos levará a lugar algum, conheci um povo que proporcionou momentos marcantes e ganhou a minha torcida para que seus próximos governantes lhe ofereçam uma vida mais digna.

O PARAÍSO BRASILEIRO CHAMADO FERNANDO DE NORONHA

— O que vocês acham de alugarmos um buggy amanhã? – sugeriu meu primo.
— Acho uma boa ideia. Será que custa caro? – perguntou a esposa dele.
— Legal, mas não faço ideia de quanto custaria – respondi.
Fomos até a recepção da pousada para falar com o atendente.
— Amigo, gostaríamos de alugar um buggy! Você saberia nos dizer o preço ou poderia nos passar o contato de alguém que alugue? – perguntei.
— Deixa comigo. Vou providenciar tudo para vocês! – em tom prestativo.
No outro dia, bem cedinho, um buggy azul estava à nossa disposição, em frente à pousada. Após um caprichado café da manhã, feito na hora, com carinho, conforme o gosto do cliente, saímos para desbravar a paradisíaca ilha de Fernando de Noronha.
— Eu dirijo! – disse meu primo, com a chave em mãos.
Ele foi logo pegando o volante, sua esposa ao lado. Sentei-me na parte de trás. Era o início de uma aventura a quatro rodas. Com a mão esquerda segurava na barra da capota, enquanto que, com a direita, segurando uma câmera, batia fotos de tudo que via pela frente.
— Vamos à Praia do Leão – ouvi um grito, entrecortado pelo vento e pelo barulho do motor.
Era uma estrada de chão, ladeada por uma mata fechada. O ar puro invadia nossos pulmões, o sorriso nossas expressões. A sensação de liberdade me fez levantar.

O dia amanhecia, o sol começava a se impor. O mar, ao lado, estava calmo. Teríamos um dia inesquecível.

Uma estradinha de terra, com cerca de um quilômetro, indicava o acesso ao destino.

A Praia do Leão, o principal reduto para a desova das tartarugas, estava deserta.

— Olha o azul desse mar! – falei.

Nossa primeira parada, nessa praia de extensa faixa de areia, piscinas naturais e águas cristalinas, rendeu fotos, caminhada e um refrescante banho de mar.

— Que tal irmos até a Praia do Porto? Lá existe um navio grego naufragado. Chegando lá, alugamos os equipamentos e mergulhamos! – sugeri.

— Podemos ir. Mas mergulhar? Será que não vai ter tubarões? – perguntou o primo.

— Vamos, vamos! – falou a esposa dele, empolgada com a ideia.

— Cara, deixa de ser medroso. Imagine que experiência dar de cara com um deles! Qualquer coisa, a gente sai correndo, ou melhor nadando!

— Tá doido! – embarcando no buggy.

Mal sabíamos que a nossa aventura estava só começando.

Talvez o medo não fosse do tubarão, mas de algo ainda maior que encontraríamos nas profundezas daquelas águas.

Como a praia ficava do outro lado da ilha, por volta de meio-dia, resolvemos ir para lá. Ao chegar, nos deparamos com um ancoradouro natural de águas claras, tranquilas, sem ondas. Só em Noronha é possível escolher uma área portuária, para tomar um banho de mar.

Portando os aparatos necessários: nadadeiras, máscara e *snorkel*, fomos em busca de aventura, ao encontro de um tesouro submerso. Os naufrágios costumam instigar minha imaginação. O navio afundado estava próximo, a uns cinco metros de profundidade. A água é tão clara que possibilita uma experiência cativante.

Ao nadar na superfície, por cima dos destroços, fica fácil identificar o convés, o leme, a casa de máquinas. Ao avistar as caldeiras, enchi os pulmões de ar, mergulhei. Um belo registro fotográfico, próximo dos grandes equipamentos. Não bastasse a embarcação, o local era frequentado por tartarugas e peixes de várias espécies, o que tornou o mergulho ainda mais fascinante. Da areia, com uma visão deslumbrante do Morro do Pico, nos despedimos do local.

Deixamos a Praia do Porto com saudades. Ela já teria sido o ponto de partida para uma inesquecível experiência, também relacionada às profundezas do oceano. Uma vivência que se eternizaria em nossas lembranças. Sou um apaixonado por praia, sol, verão. O mar me faz bem. Próximo dele sinto forte conexão. Além dessa paixão, sentia a necessidade de voltar a fazer uma viagem pelo Brasil.

Motivado por esse ideal, escolhi o arquipélago brasileiro como destino, depois de anos consecutivos viajando pelo exterior. Meu primo e sua esposa seriam os parceiros dessa viagem. Era junho, uma época mais fria no sul do país. Havia decidido que deveria colocar um verão no meu inverno.

Fernando de Noronha é surpreendente. Da janela do avião, durante a aterrissagem, é comum sentir-se bem, com a sensação de estar chegando a um lugar paradisíaco. Ao avistar o Morro Dois Irmãos, essa formação que parece emergir das profundezas, rodeada por águas cristalinas, que mais parecem uma aquarela em tons azul e verde, você tem a plena convicção de que viverá dias memoráveis. É o principal cartão-postal dando as boas-vindas, desde lá do alto.

Era final da tarde, quando chegamos à aconchegante pousada, situada na Vila dos Remédios, o centrinho da ilha. Após a recepção, acatamos a sugestão do atendente e fomos até o Forte do Boldró. O primeiro dia de viagem acabaria com fortes indícios do que viria pela frente. Do mirante, apreciamos o sol se pondo no horizonte, num mergulho lento em um mar sem fim. Noronha nos recebia com um incrível espetáculo da natureza.

O dia seguinte amanheceu com muito sol e calor. Passamos boa parte do dia nas mais urbanas das praias, a mais popular, talvez por sua localização central. A pé, fomos até a Praia do Cachorro.

Após descer uma pequena escada, o acesso por entre as pedras traz ao lugar um aspecto ainda mais natural. A praia pequena, de areias limpas e de águas em tons mais esverdeados, nos proporcionaria momentos de adrenalina. Nada de espreguiçadeiras e guarda-sóis.

"Cara, vamos pular no Buraco do Galego?", perguntei ao meu primo, enquanto tomávamos um banho de mar. "Espera, deixa eu pegar essa!", respondeu dando braçadas e entrando de peito na onda. Estávamos disputando quem pegaria o melhor jacaré, uma espécie de *surf* com o próprio corpo. "Ninho, vamos!", gritou, acenando com as mãos, enquanto falava com sua esposa. Pegando um jacarezinho, cheguei à beira do mar.

Com a câmera fotográfica e *smartphone* nas mãos, partimos para a aventura. Costões de praia costumam oferecer belas paisagens, mas escondem perigos, exigem cuidados e muita atenção. Mesmo acostumados com essa prática, fomos devagar, pedra sobre pedra, superando obstáculos, curtindo cada detalhe, que se apresentava a cada olhar.

O Buraco do Galego é um poço, ao lado do mar, de uns 3 metros de profundidade, por 2,5 metros de diâmetro. Uma piscina natural que convida a todos para um delicioso banho, com uma visão espetacular de toda a praia. Para os mais destemidos, um convite para mergulhar saltando de cima das rochas.

Ao ver os mais corajosos pulando, a certeza do salto vai dando lugar à dúvida. Embora tenha níveis de dificuldade, de acordo com a altura, pular entre pedras é sempre perigoso. Ninguém estava querendo se machucar e colocar em risco a viagem.

Novamente, o espírito aventureiro falou mais alto, tomado pela adrenalina, decidi pular. "Eu vou", falei para o casal. Eles se olharam. "Nós também", responderam em seguida. Não resistimos ao desafio. Também com aquele cenário motivador! Fui o primeiro a saltar. De cara, da parte mais alta. Do alto das pedras, só conseguia olhar para o alvo, o centro do buraco, rodeado por pedras. Qualquer erro, poderia ser fatal.

Segurando uma câmera, olhei para o horizonte, respirei fundo, olhei para baixo, saltei! "Animal, cara!", gritei, assim que emergi. Logo na sequência, meu primo pulou de uma altura intermediária. Mais confiante, repetiu o salto, agora da parte mais alta. Sua esposa, que acompanhou tudo de pertinho, da parte mais baixa, pulou também. Uma aventura perigosa em um cenário marcante.

O dia seguinte guardaria a melhor das surpresas. Nasceria uma grande paixão à primeira vista. Essa inexplicável sensação despertaria assim que avistasse o local. Estou falando da Praia do Sancho, a mais bonita do Brasil, e sem exageros, escolhida por diversas vezes, a mais bonita do mundo. A trilha suspensa, construída com madeira ecológica e material reciclável, torna a caminhada segura e agradável. Durante o percurso, é possível contemplar a fauna e a vegetação, totalmente preservada. Uma amostra do esplendor natural que vinha pela frente.

Ao chegar ao mirante, o baque foi sentido, pela visão panorâmica, encantadora, espetacular da Baía do Sancho. Ansioso, queria chegar à praia, a vontade de dar um mergulho no lugar avistado era incontrolável. Começava a entender o porquê da paixão.

Há apenas duas formas de acesso à praia. Por meio de passeios em embarcações credenciadas e, por terra, a opção escolhida. Essa, por sua vez, traz mais emoção. Com um pouco de esforço, a experiência atinge a plenitude. É necessário descer mais de 200 degraus, por duas escadas encravadas em uma fenda entre as rochas, que darão acesso a mais uma escadaria em pedras, num paredão com mais de 50 metros de altura.

Iniciei a descida, degrau por degrau. Senti a mochila roçando a parede rochosa. O local é realmente apertado. Seriam dois lances de escadas metálicas, completamente na vertical. Era preciso ter cuidado. Um caminho estreito, de poucos metros, por entre os paredões, leva ao segundo lance. Ao final dessa outra escada, uma fenda parece se abrir propositadamente para que você respire, ou melhor se inspire, pelo ângulo de visão da baía que proporciona. A última escadaria, a mais segura, leva ao paraíso.

"Nossa, que coisa linda!", sussurrou a esposa do meu primo. Chegamos deslumbrados, não era para menos. Nós nos deparamos com uma paisagem de tirar o fôlego, com areias brancas esquentadas pelo sol, a magnífica formação de falésias, a resguardada mata nativa, um mar cristalino de cor azul turquesa.

Joguei a mochila no chão, abri os braços. Por um breve instante, fechei os olhos. "Obrigado, Senhor, por mais essa oportunidade!", agradeci em pensamento. Ainda com os braços abertos, eu me senti abraçado pela obra divina que se apresentava.

Fomos até um cantinho, em meio a algumas pedras, debaixo de algumas árvores, para aproveitar a sombra. Estendemos uma toalha, largamos as coisas e corremos ao encontro do mar de águas profundamente claras. O dia estava ensolarado. Do mar, as formações ganhavam uma dimensão ainda maior. "Ninho, olha atrás de ti", gritou meu primo, apontando. Uma tartaruga subia à superfície para respirar. A vida marinha nos surpreenderia a cada momento.

"O que é essa mancha escura perto de vocês?", perguntei ao casal que se abraçava. Deram dois passos, era uma arraia. Meu primo estava preocupado com os tubarões, que não apareceram. Avistaríamos apenas um, pequeno, em visita à Praia do Sueste. Várias espécies de peixes nos acompanharam de perto durante o refrescante e inesquecível banho nesse aquário natural.

Na praia, o tempo passa voando. Estávamos com fome. Lembramos que alguns pacotes com bolachas recheadas nos esperavam dentro das mochilas que havíamos deixado entreabertas. Saímos do mar e fomos até nossos pertences. "Por favor, pega uma garrafinha de água para mim", pedi ao meu primo.

Assim que levou as mãos a uma das mochilas, falou: "Cara, que susto!". Eram as mabuyas, aliás, dezenas delas. Animais dóceis, répteis de hábito enxerido, uma espécie de lagartixa que tem excelente convivência com os turistas. Simpáticas, estão por toda a parte, se tornaram um símbolo da ilha.

O dia seguinte seria marcado por um batismo. Não se tratava de um ato religioso, mas sim da primeira vez que mergulharia com cilindro de oxigênio. Zarparíamos da Praia do Porto, rumo à Ilha do Meio. O dia amanheceu lindo, com céu de Brigadeiro.

A navegação suave permitia sentir o balanço do mar. Na embarcação, iniciamos os preparativos. Primeiro, o desafio de colocar a apertada roupa de mergulho. Sentados em um banco, começamos a receber os equipamentos e as instruções. Máscara, nadadeiras e os pesados cilindros de ar. Era quase impossível de se movimentar.

Enquanto o capitão buscava o melhor ponto para ancoragem, a adrenalina aumentava. Aproximava-se umas das melhores aventuras da minha vida. O fundo do mar desperta a curiosidade. Estava a poucos minutos de explorar as profundezas, no principal parque marinho do Brasil.

"Sua vez", disse o instrutor. Com calma, caminhando de ré, fui até a borda da embarcação. Joguei-me, próximo ao instrutor. A água estava morna, com excelente visibilidade. Segurando em boias, recebemos as últimas e breves instruções.

Começamos a descer, aos poucos. "Está tudo ok?", perguntava o instrutor, por meio dos sinais combinados durante a explanação. "Ok", devolvi. O fundo do mar ganhava dimensões inimagináveis. Lá embaixo tudo parecia mais lento. Diversos cardumes de peixes se aproximavam. De todas as espécies, cores, tamanhos. Arraias, moreias e o balé das algas sobre os coloridos corais chamavam a atenção. Sem perceber, embasbacado com tudo que via, ganhava profundidade.

"Compense o ouvido", indicou o instrutor, apertando o nariz. A ideia era equalizar a pressão. Isso foi fácil, difícil mesmo foi segurar a emoção em explorar um mundo completamente desconhecido. Vivia um sonho, durante o tempo em que pairava, no fundo do mar. Metros à frente era possível enxergar meu primo e sua esposa nadando na imensidão azul. Os raios solares perdiam as forças à medida que descíamos, causando um efeito magistral.

Senti o instrutor tocando meu braço, olhei para ele. Chegávamos a 12 metros de fundura. Após mostrar o marcador, apontou para uma pequena caverna a poucos metros. Nós nos dirigimos para lá. Tão logo entramos, nos deparamos com uma gigantesca tartaruga. Ela era muito, muito grande. Um animal centenário, de tamanho nunca visto por mim, muito menos imaginado. Nos aproximamos devagar. "Fique tranquilo", sinalizou o instrutor. A menos de um metro, passei a mão em seu enorme casco. Cardumes de peixes testemunharam a cena. O animal sequer se mexeu.

A apaixonante experiência se aproximava do fim. Respirava normalmente, nem parecia que auxiliado por equipamentos. O ouvido definitivamente acostumado. Apenas os olhos não conseguiam conter tanta contemplação. A subida pareceu mais rápida. Era a despedida do misterioso mundo submerso. De longe, era capaz de enxergar o fundo da embarcação, tamanha a transparência da água. Assim que emergimos, tiramos a máscara. Uma expressão de encantamento tomava a face de todos.

Durante a volta ao porto, enquanto admirava toda a paisagem, a saudade batia trazendo uma intensa vontade de mergulhar novamente. Era a felicidade encontrada em um momento de plena satisfação, num ambiente então desconhecido.

As noites seriam usadas para apreciar a gastronomia local. Os frutos do mar eram a melhor pedida. As nossas memórias olfativa e gustativa ficariam marcadas pela degustação do tradicional peixe na telha, com requintes caseiros, saboroso. Depois de cada jantar, as caminhadas pelo centrinho, observando o céu escuro e estrelado, ajudavam na digestão.

Uma noite em especial consagraria a viagem. Após um cansativo dia de praia, resolvemos ir à missa. Foi na Igreja Nossa Senhora dos Remédios que uma vibrante celebração, com orações e cânticos conhecidos, nos preencheria ainda mais de gratidão pelo momento que estávamos vivendo.

Antes da bênção final, o pároco deu a palavra para a comunidade que se fazia presente. De posse do microfone, agradeci a Deus pela saúde e oportunidade. Em seguida, direcionei os agradecimentos ao padre pela cativante condução e a todos, pela participação.

A ilha que, ao longo de sua história recebeu diversas denominações, me apresentava novamente o Brasil, sob a alcunha de uma transfiguração incorreta. Foram dias inesquecíveis ao lado do meu primo, sua esposa, explorando cada canto desse lugar paradisíaco. Assim como fez no ano de 1503, Fernão de Loronha, ou melhor, Fernando de Noronha.

# Viajar sozinho, um investimento desafiador!

Existem alguns clichês do cotidiano, em forma de perguntas, cujas respostas são, a meu ver, de percepção individual, mas que sempre geram algum tipo de discussão. É melhor viajar sozinho ou acompanhado? Viajar é gasto ou investimento?

Vou respondê-las com base nas minhas experiências, que moldaram o meu entendimento com relação ao tema. Em hipótese alguma, quero impor verdades, muito menos fórmulas para a sua felicidade. Quero apenas propor uma reflexão, por meio do meu ponto de vista, a fim de que você tire as próprias conclusões.

Começarei pela primeira questão, e para isso usarei uma metáfora com dois conhecidos ditos populares: "se a vida te der limões, faça uma limonada" e "cavalo encilhado não passa duas vezes". Mas o que isso tem a ver com as viagens?

Nas minhas primeiras viagens, bem como em outras, viajei acompanhado. No entanto, em oitenta por cento delas, viajei sozinho. Isso se deve pelo fato de que nem sempre você terá alguém para compartilhar aventuras.

Chegará o momento na vida de quem pretende ou adora viajar que o grande desafio se apresentará e você terá que decidir se realiza seu sonho sozinho ou postergará até que encontre alguém com a mesma disponibilidade. É quando o mundo oferece apenas os famosos e azedos limões.

Estou falando que às vezes você vai se deparar com uma vontade imensa de viajar, mas por medo, insegurança, falta de companhia ou por ouvir alguém, acaba desistindo. Talvez por não querer enfrentar o mito de que sozinho não é legal viajar, que a viagem será totalmente sem graça, ou ainda, caso aconteça alguma coisa, como vai fazer para se virar.

É exatamente nesse instante que o tal do cavalo encilhado passa à sua frente, ou melhor, que a oportunidade bate à sua porta e que, por vezes, pelos motivos que mencionei, você o deixa ir embora. O problema é se o cavalo nunca mais voltar. Esse exemplo serve para tudo na vida.

Falo mais uma vez de escolhas e decisões. Se por acaso decidir do limão fazer uma limonada e montar no cavalo encilhado, quero dizer, se deixar a sua vontade, o seu desejo superar o medo, encarando sozinho o grande desafio de ir para algum lugar distante, diferente, mesmo com todas as incertezas do que pode acontecer, garanto que será surpreendido pela experiência. Aprenderá na prática o verdadeiro significado da palavra coragem, bem como o verdadeiro sentido daquilo que chamamos de liberdade.

Viajar sozinho é de fato libertador, livra da pressão social, é você com você mesmo, ou dependendo da crença, é você e Deus. Isso será especial se souber tirar o máximo de si e o maior proveito possível de tal vivência.

Sempre que viajei sozinho, nunca estive só, nunca mesmo. Eu saio de casa sozinho, mas no aeroporto, no avião, na rodoviária, no ônibus, no trem ou quando chego ao destino, estou sempre disposto a conhecer, a me aproximar, a conversar com as pessoas. Muitas vezes, um simples pedido para tirar uma foto é uma boa oportunidade para iniciar uma conversa, uma amizade.

O fato de ser extrovertido me ajuda, mas para aqueles mais introvertidos há lugares que podem ajudar a não se sentir só, que são garantias de encontros, entretenimento, reuniões e festas. Estou falando dos *hostels*, ou se preferir, albergues. É nas áreas comuns desse tipo de hospedagem que a magia acontece.

Esqueça a ideia que esses lugares são exclusivos para jovens. Há pessoas de todas as idades, raças, gêneros e classes sociais. Em tese, é uma opção mais barata, mas não quer dizer que seja menos confortável ou de pior localização. Há *hostel* melhor que muito hotel, pode acreditar.

Existem também as casas de família, ótima opção para aprender idiomas e principalmente desfrutar do cotidiano, vivenciando os costumes locais. Mas você precisa se permitir e estar aberto a esse tipo de experiência. Garanto que viver a vida como ela é, numa cultura diferente da sua, vai transformar a sua viagem.

E assim, metaforicamente falando, usando limões e cavalos, traduzindo para desafios e oportunidades, que quero passar a ideia de que viajar sozinho pode ser transformador para você, como foi e está sendo para mim.

Quero deixar claro que viajar acompanhado também é muito legal. Todas as minhas experiências quando viajei com familiares ou amigos foram marcantes. Só estou escrevendo para encorajar quem, por insegurança, ou por outro motivo, perde a oportunidade de sozinho, sair por aí e aproveitar as delícias do mundo.

Deixe-me tocar em outro assunto, usando agora a gastronomia como metáfora. É uma dica, um conselho de amigo, que poderá parecer engraçado, mas que acontece com frequência. Se resolver viajar para fora do país, ao sair do Brasil, deixe também que o Brasil saia de você.

Esqueça o arroz e o feijão e nunca, eu disse nunca, deixe de saborear o desconhecido. Só assim a sua experiência será completa. E não estou falando só de comida! Você perceberá que, ao voltar da viagem, até o arroz e o feijão ficarão mais saborosos.

Parece repetitivo, mas foi assim que aconteceu comigo. Ao conviver com os mais diversos tipos de pessoas, com as diferenças culturais, com outros costumes, é que comecei a enxergar o mundo sob uma nova ótica.

As viagens chocam, quando nos colocam frente a certas realidades, expandem a mente rompendo o limite das ideias e do preconceito.

Você passa por um processo introspectivo, de lapidação interior, em que o maior ensinamento passa a ser o respeito pelo próximo.

Apesar disso tudo que foi falado, diante de todo o cenário que proporciona, a viagem é um gasto ou um investimento? Permita-me agora falar sobre essa interessante questão, expondo a minha opinião.

Como já falei, um dos meus grandes sonhos de vida era viajar. Para isso tive que começar a trabalhar. O mercado financeiro foi, de fato, a porta de entrada para a minha vida profissional. Trabalhei e estudei muito, diuturnamente, e foi na prática que aprendi sobre a importância da chamada educação financeira.

Uma pessoa educada financeiramente poderá ser capaz de atingir suas metas e realizar alguns dos seus sonhos, ou quem sabe todos. A realização pessoal é um processo a ser construído, que compreende objetivos bem definidos, planejamento, foco, prioridades, renúncias, determinação e, acima de tudo, vontade.

Mas a busca desenfreada pela felicidade financeira poderá atrapalhar suas realizações. É óbvio que o dinheiro é importante, isso não se discute. Mas o dinheiro é bom quando você o domina, não quando você passa a ser dominado por ele.

Formei esse entendimento no dia a dia, quando trabalhava em uma instituição bancária, assessorando clientes. Vi pessoas com dinheiro contado realizando sonhos e milionários, sem qualquer perspectiva de vida, vivendo apenas na insatisfação. Não é, e nunca será só o dinheiro, o responsável pela sua felicidade.

Cada um com seu *modus operandi*, vivendo aquilo que acredita ser o melhor, cada qual dentro do seu possível, realizando o que considera ser o mais importante para sua vida.

Se acreditar que é possível correr atrás de seus sonhos, independentemente da sua situação financeira, você conseguirá. Se acreditar que não é possível, terá razão. Não desperdice seu precioso tempo de vida!

Respondendo à pergunta, viajar é investir em si mesmo, no seu legado pessoal. Viajar eleva a sua autoestima, seu bem-estar, dá disposição. Melhora sua saúde mental, previne doenças. Enriquece seu acervo cultural.

Graças ao meu esforço pessoal, aprendi essa lição muito cedo. Sempre questionei o padrão social tradicional. Nunca concordei com a história de que você precisa trabalhar duro enquanto jovem, estudar, casar, ter filhos para, então, só aproveitar a vida na aposentadoria. O fato é que não existe idade, nem tempo definido para gozar a vida. As viagens me moldaram como pessoa, me proporcionaram uma visão diferente, nesse sentido. Assim como a vida pelos mais duros golpes.

Quem cria o hábito de viajar não quer mais parar. É viciante o fato de viver o novo, ver *in loco* a realidade, o contraste social de outras regiões, conhecer outros povos, seu estilo de vida. Não importa o lugar, se no próprio estado, país ou fora dele, você sempre voltará com a bagagem mais pesada, com o peso de um novo aprendizado.

Uma percepção durante todos esses anos viajando é que alguns entendimentos com relação ao consumismo vão mudando. A sensação é que as viagens incentivam a desapegar. Você vai ficando menos materialista. A busca por novas experiências vai ganhando mais espaço. Os bens materiais começam a ficar em segundo plano.

Quando falo das minhas escolhas, falo daquilo que considero ser mais valioso. Se você entendeu que viajar é, ou poderá ser, bom para sua vida, por meio da reflexão, ao ler este capítulo, atingi meu objetivo.

Quem não viaja morre aos poucos? Até pode ser que não, mas com certeza deixará de viver momentos desafiadores. Viajar nunca será uma despesa. Quem viaja, realiza!

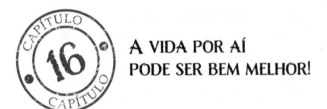

A VIDA POR AÍ PODE SER BEM MELHOR!

É de dentro do meu quarto que hoje eu consigo fazer uma leitura mais precisa de quanto a vida foi e tem sido generosa comigo, ou até mesmo, perceber o impactante resultado das minhas escolhas. Para ser mais específico, olhando para uma arte de parede em meu quarto vejo o mundo, nominado pelos lugares por onde andei. Olhando para as prateleiras me vem à cabeça as histórias, retratadas por um simples *souvenir*, que traz consigo um significado de cada lugar.

Pelas viagens, tornei-me melhor como ser humano! Chego a essa conclusão após várias andanças, mundo afora, ao longo dos anos. Existe em mim um antes e um depois das viagens que marcaram crescimento pessoal.

É viajando que se rompe a barreira da ignorância, que se abre o horizonte do conhecimento. Há um poder nas viagens que é transformador. Mas é preciso estar disposto para isso. Não basta apenas viajar por viajar, sair no piloto automático. É preciso ousar, se entregar de corpo e alma para perceber que o momento a ser vivido poderá ser único.

Pelas viagens, percebi que algo diferente acontecia. Elas me desafiam e isso me faz querer que nunca acabem. Infelizmente, tudo tem um fim. Mas, internamente, habita um forte sentimento que me move, que me faz querer voltar a viver aquilo novamente.

Viajar para mim é sinônimo de felicidade. Sentimento este que também senti quando surgiu a ideia e a oportunidade de escrever este livro. Na vida, foram as situações mais difíceis, as responsáveis por construir meu caráter, por me formar um homem. E por incrível que possa parecer, são nos piores momentos que por vezes as portas também se abrem para novas ocasiões.

2020 foi um ano difícil para mim, para você, para o mundo. Ficará marcado na história por uma pandemia que interrompeu vidas e sonhos. Um período conturbado tomado pelo medo.

Mas foi durante a quarentena, um período de isolamento que jamais imaginei que um dia fosse viver, que aflorou a possibilidade de reviver minhas viagens. Sem sair de casa, decidi viajar, novamente para o novo, para o desconhecido, só que agora rumo ao encantador mundo da escrita.

Se fosse um ano normal, se não houvesse a pandemia, não existiria também este livro. Com certeza estaria pelo mundo, viajando. Mas o fato desafiador culminou em um processo de autoconhecimento, quando ao relembrar momentos marcantes, trouxe à tona um ressignificado importante, que deu razão para muitas coisas em minha vida.

Meu objetivo com este livro nunca foi querer empurrar goela abaixo que viajar é a melhor coisa do mundo, ou a única que pode ser agregadora. A ideia é ter feito você pensar, refletir, questionar-se, ao ler minhas histórias.

Para você que sonha com viagens, com essa maneira de encarar e curtir a vida, assim como um dia sonhei, e por um motivo ou outro, ainda não decidiu ou não conseguiu dar os primeiros passos, espero ter contribuído de alguma forma no seu despertar, a fim de que consiga correr atrás dos seus sonhos e os realize. Não desista, pois vale muito a pena.

Não se permita de forma passiva ver a vida passar. O tempo que parece a cada dia voar é o presente mais precioso que Deus nos deu, sendo assim, não o desperdice.

E para você que já vive isso, que sente prazer ao viajar e que se envolveu na leitura até aqui, acredito que entendeu o meu recado e sabe exatamente tudo o que senti. Sair de casa, em busca do desconhecido, mesmo encontrando algumas adversidades, poderá ser realizador e dificilmente será uma variante entristecedora.

A felicidade se apresenta de várias formas. Eu encontrei nas viagens experiências que me fizeram e fazem realmente feliz. Muitas vezes, é num cantinho de um vilarejo distante onde a magia acontece. A viagem é aquilo que mais me distancia da negatividade, da ansiedade, da mesmice, da morte. O acúmulo de histórias formou um patrimônio de felicidade.

Deus, minha família, meus amigos, bem como as viagens, dão total sentido a uma vida que vale a pena ser vivida. Esse conjunto de fatores importantes me trazem paz, aprendizado e a segurança necessária para passar e superar qualquer dificuldade.

Permita-me ao final propor um desafio, a fazer um simples exercício, por meio do seu imaginário, com o objetivo de estimular em você uma reflexão. Seja nesse momento expectador de si mesmo.

Se após toda esta leitura, você percebeu que suas memórias trouxeram imagens de lugares, de momentos marcantes, boas recordações, lembranças, de histórias em viagens, ou ainda, caso tenha se imaginado viajando para algum lugar que sonha um dia conhecer e, se ao olhar para esse espelho imaginário, a sua expressão foi de alegria ou até mesmo devaneio, talvez você me dê razão em tudo que escrevi.

Diz uma canção que "viver é melhor que sonhar." Então, seja você um patrocinador dos seus sonhos e da sua felicidade, viajando. Não importa se sozinho ou acompanhado, não importa se com dinheiro contado ou sobrando, não importa a distância, muito menos o lugar. Deixa a vida surpreendê-lo fora da sua zona de conforto.

Uma coisa eu garanto, a vida por aí poderá ser bem melhor para você, como tem sido para mim. Acredite e faça acontecer. Vá ver o mundo com seus olhos e tire as próprias conclusões. Quem sabe um dia possamos nos encontrar e viver juntos uma boa história.

Agradeço pela sua companhia nesta viagem!